66   40,00

66   40,00

COMMENT RECONNAITRE
LES STYLES DU MOBILIER

COMMENT RECONNAITRE LES STYLES DU MOBILIER

PAR

CLAUDE WIEGANDT

PARIS

ÉDITIONS CHARLES MASSIN

INTRODUCTION

Ce livre est destiné à ceux qui, de plus en plus nombreux chaque jour, s'intéressent au mobilier français.

Les illustrations extrêmement abondantes leur permettront de mieux suivre l'évolution de cet art. En effet, une seule photo vaut mieux que de longues explications. Cependant, la vision directe possède un pouvoir éducatif encore plus puissant ; c'est pourquoi la plupart des meubles reproduits, qu'ils l'aient été en entier ou en détail, appartiennent à des collections ouvertes au public.

Les caractéristiques essentielles des meubles choisis sont la qualité, mais aussi la simplicité. Ce sont des meubles parisiens. Un autre ouvrage de la même collection traitera du mobilier provincial.

Ce qui frappe dans une étude de ce genre, c'est la continuité de l'évolution lente et progressive des techniques et des styles. Pas de rupture brusque, pas de heurt. Un style annonce l'autre et prolonge le précédent. Les événements même de la fin du XVIIIe siècle n'interrompent pas ce déroulement.

Les artisans du meuble ont manifesté tout au long des siècles le goût du travail bien fait, un esprit inventif, le sens de la beauté et de l'harmonie. Il est certain qu'ils y ont été encouragés par une clientèle exigeante et généreuse à la fois. C'est ainsi qu'a pu s'épanouir cet art si typiquement français, même si certains créateurs venaient de l'étranger.

Peu à peu les conditions de travail vont changer, l'industrialisation et la fabrication en série vont modifier les données anciennes, l'invention est tarie.

En 1900, les efforts de l'École de Nancy pour rompre délibérément avec le passé ont été utiles. Mais il est certain qu'il n'existe pas à l'heure actuelle de style proprement français. Ceci est sans doute impossible à une époque où les échanges internationaux sont rapides et faciles.

Souhaitons que les créateurs contemporains sachent maintenir les qualités d'harmonie, de mesure et d'élégance qui ont été de tout temps caractéristiques du goût français et qu'ils y soient encouragés par des amateurs éclairés.

LE MOYEN AGE

La France est extrêmement riche en souvenirs du Moyen Age ; partout, des églises, des cathédrales, des hôtels de ville témoignent de son esprit créateur à cette époque.

Mais il reste bien peu de meubles : la pierre résiste mieux que le bois à l'usure des siècles. C'est surtout par les miniatures et les peintures que nous connaissons le cadre de la vie de ce temps.

D'autre part, les meubles étaient très peu nombreux. Seuls, les seigneurs en possédaient quelques-uns. Ils avaient l'esprit batailleur et devaient souvent changer de résidence en emportant ce qu'ils possédaient : d'où le nom même de « mobilier » qui vient de mobile. Il faudra attendre une époque moins troublée pour que le mobilier devienne stable.

Ce sont tout d'abord les charpentiers qui fabriquent les meubles. Ils utilisent essentiellement le chêne, débité en lourdes planches épaisses, assemblées à tenons et mortaises. Des « pentures » de fer forgé (fig. 1) consolident les assemblages.

A la fin du XIVe siècle, les huchers et les menuisiers succèdent aux charpentiers. La technique s'améliore peu à peu : l'assemblage à rainures et languettes permet d'utiliser de petits panneaux de bois, moins coûteux que de grandes planches. Ces panneaux reçoivent une décoration sculptée, tandis que les montants sont toujours constitués de madriers de bois épais (fig. 2, 3, 4, 5, 6). L'assemblage à queue-d'aronde, très solide, marque un net progrès.

1. Coffre en chêne à pentures de fer forgé, assemblage à tenons et mortaises. XIVe siècle. Paris, Musée des Arts Décoratifs.

2. Panneau de coffre. Montants assemblés à l'aide de tenons et mortaises ; panneaux décorés de fenestrages gothiques embrevés dans les montants à l'aide de rainures et languettes. Importante serrure de fer forgé. Chêne. XVe siècle. Paris, Musée des Arts Décoratifs.

3. Décor de fenestrage gothique à « orbevoie ». Assemblage à tenons et mortaises pour les montants, à rainures et languettes pour les panneaux.

4. Décor de fenestrage gothique à « claire-voie ».

Souvent l'architecture inspire le décor sculpté : on retrouve les fenestrages gothiques, les ogives, les rosaces, et plus tard les arcs « en anse de panier » du gothique flamboyant. Lorsque ce décor se découpe sur un fond plein, il est dit à « orbevoie » (fig 3) ; lorsqu'il est ajouré, il est dit à « claire-voie » (fig. 4).

On trouve également un décor naturaliste, traité avec beaucoup de simplicité (fig. 7, 8).

Mais le motif le plus employé est la « serviette repliée » ou « parchemin plissé ». Il orne les meubles les plus modestes, mais on le trouve également sur des meubles plus riches, à côté du décor ogival (fig. 7). Les « serviettes » sont plus ou moins simples (fig. 5), plus ou moins repliées (fig. 6).

A la fin du XVe siècle, de nouveaux motifs apparaissent : fleurs de lys enfermées dans une figure géométrique (fig. 9), personnages dans lesquels se retrouve le goût des imagiers des cathédrales pour le réalisme (fig. 7, 9), parfois poussé jusqu'à la caricature.

5. Décor de « serviettes simples ».

6. Décor de « serviettes pliées ».

Le fer forgé continue à jouer un rôle à la fois utilitaire et décoratif important : des serrures ouvragées, des plaques fixant les gonds ornent les panneaux (fig. 2, 7, 9).

Le meuble essentiel du Moyen Age est le **coffre** (fig. 1, 2). Il sert de siège, on y range les vêtements et les objets de prix, il se transforme en malle en cas de besoin. Il peut être à dessus plat (huche) ou à dessus bombé (bahut). Il est muni d'une serrure de fer forgé (fig. 2).

Tous les autres meubles du Moyen Age dérivent du coffre.

Le **buffet** (fig. 7) est un coffre surélevé qui ouvre par-devant. La base à fond plein comporte deux montants antérieurs réunis par un arc surbaissé, tandis que les montants arrière encadrent des panneaux, le plus souvent ornés de « serviettes ». La partie haute ouvre à deux portes, les vantaux fermant les « guichets » ; parfois, au-dessous de chaque vantail se trouve un tiroir, appelé « layette ». Les vantaux sont ornés de serrures (fig. 7, 9). Les buffets à cinq pans sont assez nombreux (fig. 7).

Le **dressoir** est connu surtout par les miniatures ; on disposait sur ses rayons ou « gradins », dont le nombre correspondait au rang du propriétaire, les pièces de vaisselle ou d'orfèvrerie.

7. Buffet en chêne à cinq pans. Montants soulignés de contreforts à décors d'écailles, terminés en pinacles. Partie supérieure ouvrant à trois vantaux ornés de fenestrages gothiques, de personnages dans des niches, de décor naturaliste, et munis d'importantes serrures de fer forgé et de plaques ajourées. Partie basse décorée de serviettes simples. Aux environs de 1500. Paris, Musée de Cluny.

8. Tabouret en chêne à décor naturaliste. XVe siècle. Paris, Musée des Arts Décoratifs.

9. Vantail fermant un guichet. Décor de fleurs de lys enfermées dans des losanges et des fenestrages gothiques ; deux figures de femmes. Importante serrure en fer forgé ; gonds de fer forgé fixés au vantail par des plaques ajourées.

Toujours d'après les miniatures, il semble que les **tables** étaient le plus souvent composées de tréteaux sur lesquels on posait des planches recouvertes de nappes tombant jusqu'à terre, et que l'on apportait au moment du repas. Les convives s'asseyaient d'un seul côté.

La **chaire** est réservée au seigneur. La chaire à deux places (fig. 11) permet à son épouse de s'asseoir à son côté. La partie basse de la chaire est un coffre dont les montants latéraux sont surélevés pour former des accotoirs, tandis que le montant du fond forme un dossier très élevé. Les documents du temps nous montrent que les chaires étaient plus confortables qu'elles n'apparaissent aujourd'hui : on disposait sur le siège des coussins ou « carreaux », on jetait des étoffes ou des fourrures sur le dossier. Ceci explique que très souvent le décor sculpté ne commence qu'à mi-hauteur du dossier.

10. Bancelle en chêne ; décor de fenestrages à claire-voie et de serviettes pliées ; assemblage consolidé par des « goussets ». Fin du XVe siècle. Paris, Musée des Arts Décoratifs.

11. Chaire à deux places en chêne. Partie basse formant coffre, décor de serviettes pliées ; dossier orné de motifs gothiques à « claire-voie » à sa partie supérieure. XVᵉ siècle. Paris, Musée des Arts Décoratifs.

La chaire, siège d'apparat, est placée contre le mur à côté du lit.

Il y a également des sièges plus légers et plus mobiles : le **banc**, muni d'un dossier tournant, placé devant la cheminée et permettant de s'asseoir dos au feu ou face au feu, est transporté devant la fenêtre en été ; la **bancelle** (fig. 10) est composée d'une planche tenue par des montants : des équerres ou « goussets » assurent la solidité de l'assemblage ; les **tabourets** (fig. 8) ou **escabeaux** sont essentiellement mobiles.

Très peu de **lits** sont parvenus jusqu'à nous, car ils étaient le plus souvent faits de bois simplement équarri et entièrement recouvert d'étoffes : le ciel de lit, de la même taille que la couche, était supporté par des colonnes ou « quenouilles ». Les

12. Lit en chêne ; panneaux décorés d' « orbevoies » gothiques à la partie supérieure, et de serviettes à la partie inférieure. Provient du château de Villeneuve d'Auvergne. Vers 1500. Paris, Musée des Arts Décoratifs.

rideaux, ou « courtines », relevés en « bourses » pendant la journée, étaient tirés le soir, pour protéger du froid. Cependant, le Musée des Arts Décoratifs de Paris conserve deux lits (fig. 12) exceptionnels dont le châssis et le dais sont de bois sculpté.

Les **armoires**, telles que nous les concevons actuellement, n'existent pratiquement pas, si ce n'est parfois dans les sacristies. Dans les demeures, ce sont seulement des niches ménagées dans le mur et fermées par des panneaux de boiserie.

Les meubles du Moyen Age sont donc à la fois peu nombreux et peu variés, mais déjà les artisans montrent de grandes qualités. Il appartiendra aux époques suivantes de perfectionner les techniques et de trouver de nouvelles formes.

LA RENAISSANCE

Le terme même de Renaissance a une signification : après une longue période d'oubli, l'art antique réapparaît. Dès le XVᵉ siècle, les Italiens émerveillés retrouvent partout des souvenirs du passé et redécouvrent les grandes leçons de l'Antiquité.

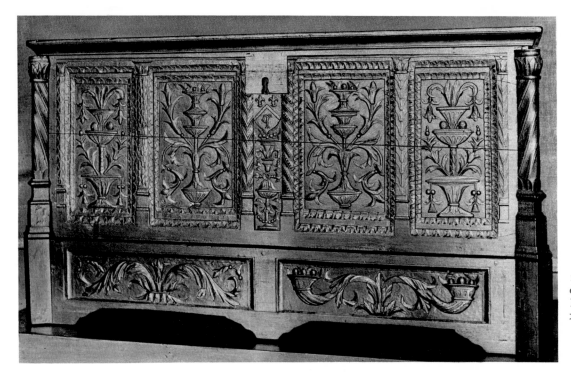

13. Coffre en chêne à décor d'arabesques. Première moitié du XVIᵉ siècle. Musée du Louvre.

Lorsque les Français se lancent à la conquête des possessions angevines de Charles VIII dans la péninsule, ils y trouvent un art nouveau, bien différent de leur art gothique. Comme l'a écrit Jacques Bainville dans son « Histoire de France » : « Si l'on cherche les résultats des brillantes campagnes de Charles VIII, de son entrée à Rome, de sa chevauchée jusqu'à Naples, on les trouvera surtout dans l'ordre esthétique. »

A partir de cette époque et pour bien longtemps, si l'on excepte la première moitié du XVIIIᵉ siècle, l'Antiquité va influencer l'art, et plus particulièrement l'art du mobilier.

D'autre part, les demeures de plaisance, plus largement ouvertes à l'air et au soleil, commencent à remplacer les châteaux forts. La vie est plus calme. Les seigneurs français, qui ont beaucoup admiré et envié le luxe des palais italiens, désirent vivre dans un cadre plus aimable, plus confortable, et passent aux artistes des commandes importantes.

Le changement ne peut se faire du jour au lendemain. Dans le domaine du mobilier, comme dans celui de l'architecture, l'évolution est lente. C'est tout d'abord le décor qui change : les artistes se contentent de plaquer un décor « moderne » sur des meubles de structure encore moyenâgeuse (fig. 13). Puis, peu à peu, ils adoptent les formes nouvelles, tandis que le décor lui-même évolue.

Le bois le plus fréquemment employé est le noyer, plus clair, plus gai, plus facile à travailler que le chêne.

14. Décor de plaques de marbre incrustées et de sculpture : mufle de lion, guirlandes de fruits, amours, figures mythologiques, animaux fantastiques.

Les huchiers savent de mieux en mieux dissimuler les assemblages, ce qui leur permet de mieux répartir le décor.

S'ils restent fidèles à la sculpture en plein bois, les artisans français vont adopter des techniques nouvelles, en particulier l'intarsia des Italiens, l'**incrustation** : ce procédé décoratif consiste à creuser le bois et à coller dans ce creux un matériau tel que marbre (fig. 14, 25), métal précieux, ivoire, os, bois plus foncé ou plus clair (fig. 16), etc. Les Français, plus que les Italiens, font preuve de sobriété dans le choix de ces matériaux et de leur couleur. Le décor de « moresque blanche » (fig. 15) est une variante de l'incrustation : dans le bois préalablement incisé suivant un dessin voulu, on fait couler une pâte molle qui durcit en séchant. Enfin, c'est à ce moment qu'apparaît la marqueterie que nous étudierons plus longuement dans les chapitres suivants.

Ces méthodes nouvelles, venues d'outre-monts, ont pour but essentiel de donner au meuble un aspect coloré. C'est ce goût de la polychromie qui amène les artisans à dorer certaines parties du décor sculpté (fig. 19, 24).

La **sculpture en plein bois** reste le mode de décor favori. Mais les thèmes changent pour répondre aux exigences du goût nouveau.

Sous François Ier, la fantaisie règne. On apprécie tout particulièrement les « grottesques » (fig. 21).

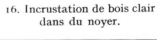

15. Décor de moresque blanche.

16. Incrustation de bois clair dans du noyer.

14

17. Motif en miroir enca-
dré d'animaux fantas-
tiques.

18. Décor de plume.

C'est un décor inspiré de l'Antiquité : de chaque côté d'un montant central, dit « en candélabre »,
des éléments empruntés aux règnes animal ou végétal s'affrontent avec une symétrie absolue. Des
pilastres, décorés ou non de «grottesques», ornent les montants. A ces arabesques se mêlent souvent des
figures humaines enfermées dans des médaillons à l'antique (fig. 20), mais le réalisme français est
bien loin de l'idéalisme italien...

19. Figure mythologique. — 20. Décor sculpté : personnage dans un médaillon. — 21. Décor sculpté de
« grottesques », « cuir découpé » à la partie supérieure.

22. Décor de passementerie ; à gauche, caryatide en gaine avec ornement de fil de piastres.

Il existe d'autres motifs typiques de la Renaissance : cuirs découpés (fig. 21), miroirs (fig. 17), c'est-à-dire médaillons ovales en relief laissés sans décor, plumes (fig. 19, 24), animaux fantastiques (fig. 14, 17, 18, 27, 29).

Sous Henri II, l'influence de l'Antiquité est de plus en plus nette : des figures mythologiques (fig. 14, 19, 23, 24) ornent les panneaux, tandis que des caryatides (fig. 22) décorent les montants.

Tous les éléments de la grammaire décorative antique apparaissent : frise de postes (fig. 28), fils de piastres (fig. 22), perles, oves, godrons (fig. 22, 27), cannelures (fig. 22, 28), rinceaux (fig. 15), feuilles d'acanthe (fig. 14), guirlandes de fruits (fig. 14), coquilles, mufles de lions (fig. 14), têtes de béliers, aigles (fig. 24), amours (fig. 14), etc. Les emprunts à l'architecture sont fréquents : modillons et denticules pour les corniches (fig. 24), colonnes (fig. 14, 26, 28), frontons, niches (fig. 14).

Il existe un autre décor (fig. 22) : les arabesques ou entrelacs d'un dessin large et plat, certainement inspiré par les patrons de passementerie proposés alors par les ornemanistes, nom donné à ceux qui donnaient des modèles aux artisans. Il semble que ce décor se soit particulièrement répandu dans la région lyonnaise.

Au Moyen Age, le rôle décoratif des ferrures était très important. Elles disparaissent totalement des meubles de la Renaissance.

23. Figure mythologique : Neptune. Canon très allongé dans l'esprit de l'école de Fontainebleau.

LES MEUBLES

Pendant la première Renaissance, jusque vers 1540, les meubles sont encore très proches de ceux du Moyen Age. Les coffres (fig. 13), les buffets, les chaires se confondraient aisément, si l'on ne prenait soin de regarder le décor : « grottesques », arabesques, coquilles remplacent les fenestrages gothiques et les motifs en serviette.

Puis la structure même des meubles se transforme, tandis que le décor évolue. L'imitation de l'Antiquité est de plus en plus manifeste.

La présence à Fontainebleau d'artistes italiens tels Rosso et Primatice a une grande importance ; ce sont eux qui transmettent aux Français les leçons antiques qu'ils vont interpréter et assimiler. Ils vont alors créer des meubles nouveaux d'une construction très architecturée, dont les différentes parties sont nettement compartimentées.

Le **coffre**, élément essentiel du mobilier du Moyen Age, perd de son importance, s'il continue à être très utilisé. Les progrès réalisés par les artisans dans les techniques de l'assemblage permettent une plus grande variété dans la structure ; les panneaux décorés peuvent être de dimensions diverses ; il peut même y avoir un panneau unique. Les montants sont toujours très ornés, de « grottesques », d'animaux fantastiques, de caryatides. Le coffre est souvent surélevé par un socle.

Le **buffet** est d'abord absolument semblable au buffet du Moyen Age, exception faite du décor. Mais il va évoluer très vite pour devenir l'un des meubles les plus caractéristiques de la Renaissance.

Il se compose alors de deux corps (fig. 24) superposés, ouvrant à une ou deux portes ; le corps supérieur est en retrait par rapport au corps inférieur ; il est couronné d'une corniche saillante et parfois d'un fronton triangulaire brisé qui enferme une niche ; les emprunts à l'architecture sont manifestes et nombreux. Le décor est abondant : figures sculptées en très bas relief, mufles de lions, guirlandes de fruits, coquilles en relief plus accusé, plaques de marbre incrustées ; enfin, dans certains cas, bois doré

24. Armoire à deux corps en noyer ; panneaux de bois doré, sculptés de figures dans l'esprit de l'école de Fontainebleau ; petites plaques de marbre incrustées. Deuxième moitié du XVIe siècle. Collection particulière.

Sur la page suivante

25. Armoire à deux corps en noyer, à décor d'incrustations de bois de couleur ; plaque de marbre gris incrustée à la partie supérieure. Deuxième moitié du XVIe siècle. Paris, Musée des Arts Décoratifs.

servant de fond aux figures allégoriques. Mais la richesse de l'ornementation ne nuit pas à l'impression d'équilibre et d'élégance de l'ensemble. Les pieds qui supportent le corps inférieur sont en forme de boules aplaties ou prolongent simplement les montants.

Dans certains cas, le corps inférieur est évidé et le corps supérieur est alors supporté par des animaux fantastiques ou des colonnettes (fig. 27).

Un autre type de buffet (fig. 26) est caractérisé par l'absence de décor. Le seul ornement de ce genre de meuble consiste en de longues colonnes élégantes, montant depuis la base jusqu'au sommet et en légères moulurations sur les portes. Ces buffets, dont on pense qu'ils ont été fabriqués en Ile-de-France, annoncent dès la Renaissance les qualités majeures qui seront celles du mobilier français tout au long des siècles : l'élégance des lignes, la justesse des proportions, la sobriété.

26. Armoire en noyer dans le style d'Androuet du Cerceau. Longues colonnettes montant de la base jusqu'au couronnement du meuble, pieds en boules, vantaux ornés de moulures très simples. Deuxième moitié du XVIᵉ siècle. Paris, Musée des Arts Décoratifs.

27. Buffet en noyer. Le même motif de chimères adossées orne le corps supérieur et forme le piètement ; long tiroir de ceinture orné de godrons. Deuxième moitié du XVIᵉ siècle. Paris. Musée de Cluny.

28. Table à rallonges en noyer. Pieds patins réunis entre eux par une épaisse traverse reliée au plateau par des colonnettes sculptées ; les pieds sont ornés de colonnettes cannelées encadrant un vase à l'antique ; frise de postes à la ceinture. Deuxième moitié du XVIe siècle. Paris, Musée des Arts Décoratifs.

Les termes d'armoire et de buffet sont indifféremment utilisés dans les inventaires du temps.

La **table** (fig. 28) apparaît au XVIe siècle. Elle est nettement inspirée par le «cartibulum» antique. Le plateau repose sur une ceinture très épaisse, ornée de godrons, de frises de postes, d'entrelacs, etc. Il y a très souvent un système de rallonges. Les pieds reposent sur des patins qui sont reliés entre eux par une forte entretoise. Ces pieds sont le plus souvent en forme de colonnes. Des pieds supplémentaires relient le plateau à l'entretoise, dans un souci à la fois de solidité et d'ornementation.

Les pieds peuvent être également « en éventail » (fig. 29), c'est-à-dire en forme de consoles adossées, sculptées et très ornées.

Les **sièges** commencent à se multiplier.

Pendant la première moitié du siècle, la **chaire** continue à être employée. La forme reste la même, seul le décor change.

29. Pied de table « en éventail », sculpté de chimères adossées.

Mais elle va être remplacée peu à peu par la « **chaire à bras** » (fig. 30, 31). Le siège, de forme trapézoïdale (fig. 30) ou carrée (fig. 31), est porté par quatre pieds rassemblés entre eux par des entretoises, soit en H (fig. 30), soit rectangulaires (fig. 31). Les accotoirs sont supportés par des colonnettes (fig. 30), le dossier reste élevé (fig. 30). Puis le dossier va s'ajourer (fig. 31), et les supports d'accotoirs s'incurvent en forme de consoles (fig. 31). Les inventaires parlent de « caquetoires » ; peut-être ce terme désigne-t-il les chaires à bras dont le siège est de forme trapézoïdale (fig. 30).

Quant à la « chaise à femme », c'est une chaire sans bras, laissant davantage de place aux volumineuses robes des femmes.

Bancs, bancelles, tabourets sont toujours utilisés.

Tous ces sièges sont encore garnis de carreaux ou coussins.

Les **lits** conservent la même forme qu'au Moyen Age.

30. Chaire à bras en noyer, dossier plein, sculpté à sa partie supérieure, siège trapézoïdal, quatre supports d'accotoirs en colonnettes, pieds reliés par des entretoise en H. Deuxième moitié du xvie siècle. Paris, Musée des Arts Décoratifs. — 31. Chaire à bras en noyer, dossier évidé, moins élevé, supports d'accotoirs en crosses sculptées de plumes. Pieds antérieurs en colonnettes terminées par des boules, pieds postérieurs simplement équarris réunis par des entretoises. Ceinture mouvementée. Fin du xvie siècle. Collection particulière

Sous le règne d'Henri II, les colonnettes qui supportent le ciel de lit sont parfois remplacées par des caryatides, tandis que le chevet est très orné. Il ne reste pratiquement pas de lit du xvie siècle. Mais à cette époque les ornemanistes donnaient des modèles qui étaient répandus par la gravure. C'est ainsi que nous connaissons les projets d'artistes comme Androuet du Cerceau ou Hugues Sambin.

On parle parfois d'écoles régionales à propos des meubles de la Renaissance. Mais il est extrêmement difficile de déterminer l'origine exacte d'un meuble de ce temps. Cependant, il semble que les meubles de Bourgogne ont un décor sculpté particulièrement chargé et lourd.

Enfin, n'oublions pas que les innombrables salles à manger Henri II qui encombrent encore trop d'intérieurs ont été fabriquées à la fin du xixe siècle ou au début du xxe...

LA PREMIÈRE MOITIÉ DU XVIIᵉ SIÈCLE : LE STYLE LOUIS XIII

La fin du XVIᵉ siècle est une période extrêmement troublée, marquée par les guerres de religion. Elle n'est guère propice au développement des arts. Henri IV va s'efforcer de ramener la paix et la prospérité dans le royaume.

Il y parvient peu à peu et un nouveau style apparaît : communément dénommé « style Louis XIII », il naît sous Henri IV et se maintient jusqu'au début du règne personnel de Louis XIV en 1661.

Ce style nouveau est très marqué par une double influence étrangère : influence flamande d'une part, influence italienne traditionnelle d'autre part, renforcée par les goûts et le mécénat du cardinal Mazarin.

Indépendamment des meubles conservés, nous avons de très bonnes sources d'information qui nous aident à connaître le mobilier de ce temps : les estampes d'Abraham Bosse nous introduisent dans les intérieurs bourgeois, les inventaires établis au moment du décès de grands personnages nous donnent des indications très claires sur les meubles en usage à la Cour.

32. Cabinet d'ébène ; partie supérieure ouvrant à deux vantaux sculptés d'un décor en léger relief, dissimulant des tiroirs et des niches ; piètement à huit colonnes cannelées et baguées reliées par une planche d'entretoise ; pieds en boules. Première moitié du XVIIᵉ siècle. Palais de Fontainebleau.

33. Pied antérieur tourné en chapelet ; pied postérieur simplement équarri. — 34. Pieds tournés en spirale. — 35. Support d'accotoir tourné en balustre.

Il apparaît que bourgeois et seigneurs se meublaient fort différemment : les premiers continuent à aimer les meubles de la Renaissance dont le décor va se modifier peu à peu, tandis qu'il est de bon ton à la Cour de faire venir ses meubles de l'étranger.

Un point commun : s'il est encore souvent destiné à être emballé et transporté, le mobilier tend de plus en plus à la stabilité et offre davantage de commodité.

Il est un type de meuble que nous ne connaissons que par les descriptions et les gravures du temps : le **meuble d'étoffe**, dans lequel toute l'importance est donnée à la garniture, tandis que le bois n'est qu'un support. Le meuble d'étoffe jouait certainement un beaucoup plus grand rôle que celui que nous serions tentés de lui accorder aujourd'hui.

Parmi les meubles le plus en faveur à la Cour, il faut citer avant tout les cabinets (fig. 32). Déjà, sous la Renaissance, on avait donné ce nom à l'ensemble composé par un coffre posé sur une table et muni ou non de tiroirs. Au début du XVIIe siècle, il semble que les cabinets sont le plus

souvent d'origine étrangère ou exécutés par des artistes ayant appris leur métier à l'étranger. Ce sont des meubles très riches dont les plus caractéristiques font appel à une nouvelle technique : le placage d'ébène. En effet, ce bois alors très apprécié est trop dur, trop rare et trop coûteux pour être employé massif : les « menuisiers en ébène », terme qui apparaît pour la première

36. Pieds antérieurs et traverses tournés en bobines ; pieds postérieurs simplement équarris.

24

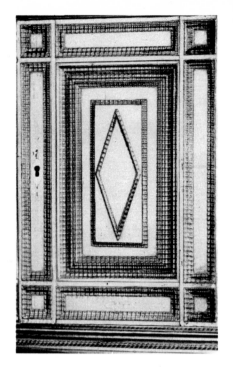

37. Moulures en gâteaux.

38. Panneau mouluré.

39. Armoire à panneaux sculptés de « pointes de diamants ». Première moitié du XVIIe siècle.

fois en 1608 dans les statuts de la corporation, le débitent en lames de huit millimètres d'épaisseur et le collent sur un bâti de bois ordinaire. Les panneaux sont ornés de sculptures en faible relief ou de motifs gravés.

La ligne générale est très droite, avec des angles aigus. La partie supérieure, en forme de

coffre, est munie de nombreux tiroirs dissimulés par des vantaux ; elle est solidaire de son support, constitué le plus souvent par des colonnes reliées près du sol par une planche d'entretoise. Ces meubles ont un aspect fort sévère. Mais, dès que l'on ouvre les vantaux, la surprise est grande : ce ne sont que tiroirs plaqués d'écaille, niches enfermant des statuettes de bronze doré, perspective de colonnettes d'ivoire ou de corail.

C'est également dans les meubles destinés à la Cour que l'on trouve des incrustations de pierres dures ou de marbres de couleur, fort prisées en Italie.

Enfin, c'est à cette époque que la marqueterie commence à jouer un important rôle décoratif : marqueterie de bois (fig. 41, 42), mais aussi de cuivre, d'étain et d'écaille ; cette dernière technique connaîtra une très grande faveur sous le règne de Louis XIV.

Le mobilier de la bourgeoisie est beaucoup plus traditionnel. Le plein bois sculpté reste le mode de décor favori, mais avec plus de lourdeur que sous le règne d'Henri II.

Le **tournage** est la technique la plus caractéristique des meubles usuels du début du XVIIe siècle. Les pieds des tables et des sièges, les accotoirs et leurs supports utilisent tous les modes de tournage: en chapelet (fig. 33), en spirale (fig. 34, 45), en balustre (fig. 35, 41) ; ce dernier mode offre

40. Table à abattants en noyer. Pieds tournés en colonnettes reliées par une entretoise rectangulaire. Première moitié du XVIIe siècle. Paris, Musée des Arts Décoratifs.

centre de ces panneaux où elles remplacent les sculptures. Ces moulurations peuvent être circulaires, carrées, triangulaires, en losange ; si le relief en est très accentué, les moulurations circulaires sont dites « en gâteaux » (fig. 37), tandis que les facettes triangulaires sont dites « en pointes de diamant » (fig. 39).

des profils variés : en poire, en vase, en toupie...

Mais les pieds peuvent être simplement de bois équarri (fig. 33, 36). C'est ce qui apparaît le plus fréquemment dans les estampes d'Abraham Bosse.

Les points de jonction des différents éléments, pieds, traverses, montants, sont marqués par un dé non tourné, carré ou rectangulaire, dont les angles sont abattus (fig. 34).

La **mouluration** est également un procédé décoratif très employé. Comme sous la Renaissance, des moulures rectilignes différencient les éléments d'un meuble et encadrent les panneaux (fig. 38, 39) ; mais des moulures en relief envahissent également le

41, 42. Table pliante en noyer. Pieds tournés, plateau en marqueterie de bois de rapport, dessinant des arabesques enfermées dans des compartiments. Vers 1650. Paris, Musée des Arts Décoratifs.

LES MEUBLES

Les **armoires à deux corps** restent très comparables à celles de la fin du XVIe siècle, le décor mouluré remplaçant le décor sculpté. Mais les **armoires** (fig. 39) à deux grands vantaux se répandent de plus en plus. Elles sont souvent munies à la base d'un ou deux tiroirs. La silhouette

générale en est très simple, très rectiligne. La corniche ornée de fortes moulures est très saillante. Les pieds sont en sphère aplatie ou prolongent les montants. Les portes sont divisées en panneaux décorés de losanges, de cercles, de pointes de diamant, de gâteaux.

Les **tables** sont moins grandes qu'à la fin du XVIe siècle. Elles sont portées par des pieds tournés, reliés entre eux par de fortes entretoises rectangulaires (fig. 40), en H ou en X. Elles sont souvent à abattants (fig. 40) ou pliantes (fig. 41). Dans les modèles les plus soignés, le plateau peut être orné d'une marqueterie de bois de couleur (fig. 41, 42).

Il semble difficile d'affirmer que le bureau est né à cette époque. Sans doute s'agissait-il le plus souvent d'une simple table recouverte d'un tapis de bure allant jusqu'à terre, munie parfois d'un gradin à tiroirs.

Les **lits** n'ont d'importance que par les étoffes somptueuses, souvent rebrodées, qui dissimulent entièrement les montants de bois. La couverture des sièges était assortie à celle du lit. Le Musée du Louvre expose l'un de ces « emmeublements » ayant appartenu au maréchal d'Effiat.

Les **sièges** sont extrêmement intéressants. L'une des caractéristiques essentielles est que, pour la première fois, les garnitures sont fixes et remplacent les coussins indépendants. Ces garnitures de cuir, gaufré ou non, de tapisserie à l'aiguille, d'étoffe de soie, de velours, de serge, sont maintenues à même le bois par de gros clous décoratifs.

C'est à cette époque que le terme « fauteuil » va remplacer celui de « chaire à bras ». Son aspect général est très carré. Le modèle le plus répandu (fig. 45) a un dossier bas, plus large que haut ; les pieds, de bois tourné ou simplement équarri, sont réunis par des traverses en H ; une traverse supplémentaire rejoint les pieds antérieurs aux deux tiers de la hauteur. Les supports d'accotoirs droits sont placés dans le prolongement des pieds. Ils sont le plus souvent tournés, en chapelet, en spirale,

43. Fauteuil en noyer tourné et sculpté. Dossier élevé, légèrement incliné vers l'arrière, accotoirs incurvés, pieds droits tournés en balustres reliés par des traverses en H et achevés par des boules aplaties sculptées. La traverse reliant les pieds antérieurs est ornée en son centre d'un « blason » sculpté. Garniture fixe. Vers 1640-1650. Paris, Musée des Arts Décoratifs.

44. Accotoir légèrement incurvé, sculpté d'une feuille d'acanthe à chaque extrémité. Support d'accotoir tourné en balustre.

45. Fauteuil en noyer. Pieds tournés en spirales reliés par des traverses en H ; une traverse relie les pieds antérieurs dans leur partie haute. Dossier large et bas, et siège à garniture fixe ; supports d'accotoir et bras tournés en spirales. Première moitié du XVIIᵉ siècle. Collection particulière.

46. Chaise en noyer tourné et sculpté, à dossier élevé. Le piètement sculpté annonce le style Louis XIV, mais la traverse qui relie les deux pieds antérieurs est encore de style Louis XIII. Vers 1650-1660. Paris, Musée de l'Assistance Publique.

47. Piètement tourné en os de mouton.

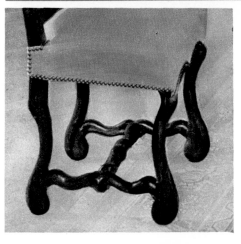

en balustre, mais dans les meubles les plus luxueux ils peuvent être sculptés. Les accotoirs sont horizontaux.

Les sièges à haut dossier (fig. 43) semblent être plus tardifs et être surtout des sièges d'apparat. Les accotoirs (fig. 44) commencent à s'incurver légèrement et sont ornés de feuilles d'acanthe sculptées à leurs extrémités. L'entretoise qui joint les pieds antérieurs est ornée au centre d'un motif sculpté, un « blason ». Le haut dossier est à peine incliné vers l'arrière.

Les fauteuils de malades ont de hauts dossiers munis d'oreillettes et d'un système de crémaillères permettant de changer la position du dossier.

C'est à ce moment que commencent à se répandre les sièges cannés. Richement sculptés, ils sont sans doute d'origine flamande.

Les chaises (fig. 46) sont en tous points comparables aux fauteuils.

Les estampes d'Abraham Bosse nous révèlent encore la présence de nombreux tabourets et sièges pliants en X.

Quant aux pieds dits « en os de mouton » (fig. 47), il est certain qu'ils posent un problème. La plupart des auteurs les passent purement et simplement sous silence. Or, ce mode de tournage existe. Il est vraisemblable que ces piètements marquent une évolution entre les pieds absolument droits du début du siècle et les pieds en console de la fin du même siècle. Les accotoirs commencent à s'incurver, les pieds à s'assouplir : on abandonne peu à peu les formes rigides avant d'en arriver aux lignes courbes du XVIIIᵉ siècle.

LE STYLE LOUIS XIV

On a pris l'habitude en France de donner à un style le nom du souverain sous le règne duquel il s'est épanoui. Dans bien des cas, cette dénomination ne correspond à rien. Mais à partir de 1661, date de la mort de Mazarin, c'est vraiment Louis XIV qui impose ses idées et qui, avec l'aide de Colbert, crée les conditions dans lesquelles il est possible de les réaliser.

Le jeune souverain veut être le Roi-Soleil. Son goût du faste, de la gloire, l'amène à désirer un cadre digne de lui. Toutes les résidences royales, le Louvre, les Tuileries, Fontainebleau, portent la marque de ce règne fastueux. Puis Louis XIV fait élever Versailles, le Grand Trianon, Marly, qu'il faut décorer et meubler.

Il ne s'agit pas simplement d'y déposer des meubles et des tentures, mais de créer des ensembles qui s'accordent parfaitement au cadre.

Louis XIV et Colbert sentent la nécessité de confier à un seul homme la responsabilité de coordonner l'action des architectes, des sculpteurs, des peintres, des jardiniers et des artistes qui, dans tous les domaines, meubles, soieries, tapisserie, orfèvrerie, vont concourir à la décoration des Maisons Royales.

C'est Le Brun qui est choisi. Déjà le surintendant Fouquet lui avait confié une tâche analogue à Vaux-le-Vicomte. Avec les énormes moyens mis à sa disposition par Colbert, Le Brun va réaliser une œuvre immense. Premier peintre du Roi, il est nommé directeur de la Manufacture Royale des Meubles de la Couronne aux Gobelins. Il va imposer à tous son goût de l'Antiquité. Ceux qui, depuis le Moyen Age, donnent des modèles aux artistes, les ornemanistes, se soumettent à ses directives : Lepautre, Marot, Bérain dessinent et gravent des compositions en accord avec ce que Le Brun leur demande.

Mais la personnalité de chacun se manifeste cependant, et c'est ainsi que le style va évoluer; perdant peu à peu de sa majesté, il acquerra davantage de légèreté : le style que Bérain propose annonce déjà les grâces du XVIIIe siècle.

Le prestige de la Cour est immense, tant en France qu'à l'étranger : la Cour donne le ton; la ville, c'est-à-dire Paris et les seigneurs, l'imite ; la province et l'étranger suivent.

Nous connaissons surtout ce qui s'est fait dans l'entourage du roi. En effet, il est constant que seuls les meubles les plus riches aient eu des chances de parvenir jusqu'à nous.

48. Fauteuil en hêtre sculpté, peint et doré. Piètement très orné à pieds en balustres reliés par des volutes affrontées. Dossier rectangulaire élevé, garniture fixe. Vers 1680. Paris, Musée des Arts Décoratifs.

Il faut cependant faire une exception pour « le meuble d'argent » : seules les descriptions admiratives des contemporains et les représentations dessinées ou tissées (voir la suite des Gobelins : les Maisons Royales) peuvent nous donner une idée de sa somptuosité extraordinaire : tables, balustres, torchères, encadrements de glace, pots à orangers qui meublaient le Grand Appartement de Versailles ont été fondus en 1689 et 1709, lorsque le besoin d'argent se fit cruellement sentir.

Les meubles du Moyen Age et de la Renaissance s'inspiraient étroitement de l'architecture. Sous Louis XIV, ils continuent à lui être soumis, mais les emprunts à ses répertoires de formes se font de moins en moins nombreux. Frontons, niches, colonnes sont abandonnés.

C'est à cette époque qu'il faut commencer à faire une distinction entre les « menuisiers en ébène » qui appliquent un décor sur un bâti de bois et qui vont s'appeler « ébénistes », et les « menuisiers en bois » qui travaillent le bois plein.

Mais, qu'il s'agisse de meubles d'ébénisterie ou de meubles de menuiserie, ils obéissent aux mêmes règles : majesté, richesse, symétrie absolue, proportions imposantes sont de rigueur.

Le répertoire décoratif est emprunté à l'Antiquité romaine : mufles et griffes de lion, sphinx, animaux fantastiques, trophées guerriers, cornes d'abondance, feuilles 'd'acanthe et couronnes de lauriers, masques, rosaces, coquilles, etc.

La silhouette générale des meubles reste très droite, mais peu à peu la ligne courbe vient en adoucir la rigueur.

LES MEUBLES DE MENUISERIE

Les menuisiers continuent au XVIIᵉ siècle à travailler le bois plein. Mais, pour que les meubles s'intègrent mieux au décor général des pièces, aux lambris de marbre rehaussés de bronze doré, aux boiseries blanc et or de la fin du règne, ils sont amenés à dorer le bois. Cette technique de la

49. Dossier très incliné vers l'arrière, bras profondément incurvés, sculptés de feuilles d'acanthe à leurs extrémités supports d'accotoirs en consoles. — 50. Accotoir au mouvement sinueux, terminé en crosse.

dorure des bois avait été employée en France dès la Renaissance, mais à partir du XVIIᵉ siècle elle va connaître un succès étonnant qui ne se démentira plus. C'est pour remplacer le mobilier d'argent que les menuisiers sont amenés à dorer le bois, lui donnant ainsi un aspect plus luxueux.

Les **sièges**. On pourrait aisément confondre fauteuil Louis XIII (fig. 43) et fauteuil Louis XIV (fig. 48). Même garniture fixe ne laissant jamais apparaître le bois au dossier ou à la ceinture, même dossier élevé, plus haut que large, mêmes proportions imposantes. Mais, dans les fauteuils Louis XIV, le dossier est nettement plus incliné vers l'arrière (fig. 49), l'accotoir est beaucoup plus profondément incurvé (fig. 49, 50), le support d'accotoir (fig. 49) moins rigide, mais toujours à l'aplomb du pied antérieur, est en forme de console ; la traverse qui réunissait les pieds antérieurs a disparu. Le tour-

51. Pieds en balustre. — 52. Tabouret en bois doré et sculpté, pieds en consoles reliés par des traverses en H marquées en leur centre d'une coquille. Garniture de tapisserie au point bordée d'une frange. Collection particulière.

53. Pied en console.

54. Dossier élevé, entièrement garni, au sommet légèrement cintré.

55. Grande table « en console » en bois doré et sculpté. Pieds en balustre ajourés, reliés par des volutes affrontés. La ceinture s'orne d'un tablier ajouré richement sculpté et très découpé. Plateau de marbre mouluré très rectiligne. Vers 1680. Paris, Musée des Arts Décoratifs.

nage n'est plus employé : entretoises et pietements sont richement sculptés. Les pieds peuvent être en balustres (fig. 51) ou en consoles (fig. 52, 53), les traverses en X se terminent généralement par des crosses affrontées, ornées de feuilles d'acanthe. Les dossiers sont tout d'abord parfaitement rectangulaires, puis ils s'arrondissent au sommet (fig. 54).

Mais les sièges les plus répandus au XVIIe siècle sont les tabourets (fig. 52) et les ployants dont l'usage à la Cour est strictement réglementé par l'étiquette. Comme les fauteuils et les chaises, ils sont garnis d'étoffes somptueuses, de tapisserie au point, de moquette, et sont très souvent ornés de franges.

De nouveaux sièges indiquent une recherche de plus en plus marquée de confort : les canapés, formés en quelque sorte de la juxtaposition de plusieurs fauteuils, alors que les lits de repos le seraient plutôt de tabourets ; les « fauteuils en confessionnal » que nous nommerions bergères, dont les côtés sont pleins, dont le siège est garni d'un coussin amovible et dont le dossier est muni de deux oreillettes ; les accotoirs en sont agrémentés de manchettes qui vont peu à peu garnir les accotoirs de tous les sièges.

Plus que n'importe quel autre meuble, les **tables** (fig. 55) ont subi l'influence du mobilier d'argent : les orfèvres ont évidemment inspiré l'abondance et la richesse de leur décor sculpté. Le piètement est le plus souvent de bois doré. Sous la ceinture, le tablier est abondamment orné : le ciseau du sculpteur fouille et perce le bois comme le burin du ciseleur travaillait le métal, les pieds sont tout d'abord droits, en balustres, et reliés entre eux par des traverses en X, chargées en leur centre d'un décor de volutes et de feuilles d'acanthe. A la fin du siècle, les pieds adoptent une forme plus souple, arquée, qui annonce les pieds-de-biche et les pieds en forme de S. Parfois, ce sont des caryatides qui supportent le plateau.

Lorsque ces tables au piètement très lourd, au pesant plateau de marbre, sont disposées contre le mur, elles ne sont ornées que sur trois côtés. Ce sont les tables en console (fig. 55). Les guéridons ou torchères ont un fût central supporté par trois pieds et surmonté d'un plateau circu-

56. Lit à la duchesse, en bois peint, recouvert de velours rouge brodé d'or. Provient du château de Bazoches (Nièvre), propriété de Vauban.

laire destiné à supporter les girandoles ; la richesse de leur ornementation est très grande.

Les menuisiers continuent à employer le bois naturel. Les **armoires**, les **buffets à deux corps** sont proches de ceux du début du siècle, mais le décor mouluré est moins lourd.

Les **lits** sont entièrement garnis d'étoffes. Ils sont surmontés d'un ciel de lit encore souvent porté par quatre montants. Lorsque les deux montants antérieurs disparaissent, le lit est dit « à la duchesse » (fig. 56) si le ciel a la même taille que la couche, ou « lit d'ange » s'il est plus court.

LES MEUBLES D'ÉBÉNISTERIE

C'est sous le règne de Louis XIV que la technique de la marqueterie va commencer à connaître un développement extraordinaire. Déjà, au début du siècle, les menuisiers en ébène avaient pratiqué le placage, consistant à coller des plaques d'un bois exotique sur un bâti de bois ordinaire. Lorsque ce placage est constitué par la juxtaposition de petits morceaux de bois ou de tout autre matériau, il est appelé « marqueterie ».

Les ébénistes vont utiliser les marqueteries de bois exotiques ou bois de rapport, enrichies d'ivoire ou d'os (fig. 57) et vont commencer à employer des panneaux de laque d'Orient.

André-Charles Boulle va mettre au point la technique qui porte son nom : un décor de cuivre et d'écaille est collé sur la carcasse du meuble. Lorsque les filets de cuivre se découpent sur fond d'écaille, le décor est dit « en première partie » (fig. 58) ; lorsque l'écaille se détache sur le fond de

57. Marqueterie de bois précieux ; poignée de tirage mobile, en bronze doré.

58. Marqueterie de cuivre et d'écaille selon la technique d'A. C. Boulle, première partie.

59. Marqueterie de cuivre et d'écaille, deuxième partie.

cuivre (fig. 59), il est dit en deuxième partie ou en contre-partie. Mais ces matériaux d'origines si diverses, bois de fond, écaille, cuivre (ou étain), n'ont entre eux aucune affinité et ces marqueteries sont extrêmement fragiles.

Pour assurer leur adhérence au support, André-Charles Boulle a recours aux motifs de bronze doré : rosaces (fig. 60), masques (fig. 61), gonds feuillagés (fig. 59), encadrements de panneaux (fig. 59) protègent et ornent à la fois les meubles somptueux et dignes du cadre pour lequel ils ont été conçus. A.-C. Boulle est le véritable créateur des bronzes d'ameublement.

Les grandes **armoires** (fig. 62) ont des formes très architecturales : corniche horizontale, saillante, côtés très rectilignes, panneaux parfaitement symétriques. Certaines sont ornées de « marqueteries

60. Rosace en bronze doré sur fond de marqueterie de cuivre et d'écaille, deuxième partie. — 61. Masque en bronze doré.

34

62. Armoire en placage de bois de violette à compartiments. Forme droite, corniche rectiligne, saillante. Fin du XVIIᵉ siècle. Collection particulière.

Boulle », d'autres de marqueteries de bois de rapport (fig. 62).

Si les vantaux de ces armoires sont remplacés par des vitres ou garnis de treillis de fil d'archal, elles deviennent armoires à livres ou **bibliothèques**.

Les **cabinets** sont d'une grande somptuosité. Aux piètements tournés du début du siècle vont succéder les pieds en balustres, en gaines (fig. 63), en caryatides, puis en consoles surmontées de bustes de femmes ; les marqueteries de cuivre et d'écaille ou de bois précieux, les laques importées d'Orient, les bronzes dorés vont remplacer les sombres placages d'ébène. Un motif en « campane » (fig. 64) adoucit souvent la rigidité des ceintures.

63. Pied en gaine, reposant sur une boule aplatie. Marqueterie de bois de rapport et bois doré.

64. Motif « en campane ». Marqueterie de bois de rapport et bois doré. *1670*

SUR LA PAGE SUIVANTE

65. Bureau plat à quatre pieds cambrés, en ébène et marqueterie « Boulle » de cuivre et d'écaille ; plateau rectangulaire bordé d'un quart-de-rond de cuivre ; entrées de serrures ornées de mascarons ainsi que les chutes d'angles, rosaces, cornes d'abondance, sabots en bronze ciselé et doré. Vers 1725. Paris, Musée des Arts Décoratifs.

66. Duchesse brisée en bois mouluré et sculpté de coquilles, composée d'une bergère à dossier et accotoirs pleins d'un seul tenant et d'un tabouret à cinq pieds. Vers 1725-1730. Paris, Musée des Arts Décoratifs.

67. Bureau à huit pieds en consoles, reliés par des traverses ondulées ; deux groupes de trois tiroirs encadrent la partie centrale en retrait. Des motifs en crosse ou en campane viennent adoucir les montants et la traverse du bas. Marqueterie de cuivre sur fond d'écaille rouge, nacre, ivoire, corne de couleur, dessinant un décor dans le style de Bérain. Fin du xviie siècle. Collection particulière.

A.-C. Boulle a apporté des innovations intéressantes dans le décor, mais il a également créé des formes nouvelles. Il est l'inventeur de la **commode**. C'est en effet de son atelier que sont sorties les commodes du roi à Trianon. Ce genre de meuble a connu très vite un succès étonnant. Les commodes Louis XIV comportent de deux à cinq tiroirs portés sur des pieds en balustres, en boules aplaties, en toupies (fig. 68), en griffes de lion. Elles sont couvertes d'un plateau de marbre ou de bois. Marqueterie de bois de rapport ou d'écaille et cuivre, bronze doré, richesse, aspect massif caractérisent les commodes de ce temps.

Il est difficile de dater avec précision la naissance du **bureau**. Ce qui est certain, c'est que l'appellation « bureau Mazarin » est erronée, car aucun bureau de ce type n'est mentionné dans l'inventaire des biens du cardinal. Ces bureaux (fig. 67) ont la forme d'une table rectangulaire, munie de chaque côté de plusieurs tiroirs superposés, portés par des pieds en balustres ou en consoles (fig. 67), au nombre de huit, qui sont reliés par quatre au moyen d'entretoises en X. Un tiroir central surmonte un grand tiroir en retrait, permettant de loger les jambes.

Ce style solennel, somptueux, va peu à peu lasser par sa richesse excessive. Le roi lui-même, vers les années 1700, commence à rechercher des décors plus riants, plus aimables. Le style du premier tiers du xviiie siècle, fort improprement appelé « style Régence », va succéder au style Louis XIV avant même la mort du vieux souverain.

68. Pied toupie à cannelures en spirale en bronze doré.

LE PREMIER TIERS DU XVIIIᵉ SIÈCLE : LE STYLE RÉGENCE

Les nouvelles installations ordonnées par Louis XIV à Versailles, autour des années 1700, manifestent une évolution très nette ; les panneaux de boiseries blanc et or remplacent les solennels lambris de marbre, les fleurs, les rondes d'enfants viennent tempérer la majesté des décors du Grand Siècle.

De même, dans le mobilier, les lignes courbes adoucissent les silhouettes rectilignes, la fantaisie se mêle à la richesse.

D'autre part, les grands du royaume commencent à fuir Versailles et son austérité. Les nobles, les financiers vivent dans des hôtels parisiens, où les petites pièces intimes demandent un mobilier moins imposant. Le goût du confort s'affirme de plus en plus, loin de l'étiquette de la Cour.

On a donné indûment le nom de « style Régence » au style qui apparaît dès le début du siècle et va évoluer peu à peu jusque vers 1735, date à laquelle le style Louis XV triomphe. La Régence historique ne dure que de 1715 à 1723, alors que le « style Régence » caractérise le premier tiers du XVIIIᵉ siècle.

LES MEUBLES DE MENUISERIE

Les **sièges** de style Régence peuvent être facilement confondus soit avec les sièges Louis XIV, soit avec les sièges Louis XV.

L'évolution se manifeste sur plusieurs points :

— Le dossier est parfois encore complètement garni (fig. 70), mais le plus souvent le bois devient apparent (fig. 71). Les côtés restent rectilignes, mais le sommet adopte une forme ondulée, en accolade plus ou moins marquée (fig. 69, 71).

69. Chaise cannée en bois naturel sculpté de coquilles, branchages et croisillons ; mouvement en accolade au sommet du dossier aux côtés rectilignes et à la ceinture du siège légèrement cintré à l'avant ; pieds cambrés terminés en rouleaux, reliés par une entretoise sinueuse en X. Vers 1720-1725. Collection particulière.

70. Fauteuil en bois sculpté couvert en tapisserie de la Savonnerie ; haut dossier plat, cintré, entièrement garni ; supports d'accotoirs reculés, bras garnis de manchettes ; pieds cambrés terminés en rouleaux, sans traverse ; ceinture apparente à décor sculpté de coquilles, branchages et croisillons. Vers 1725-1730. Paris, Musée Nissim de Camondo.

71. Dossier de chaise ; bois apparent sculpté d'un cartouche, de branchages et de croisillons ; côtés rectilignes, mouvement en accolade au sommet.

72. Support d'accotoir reculé par rapport au pied antérieur cambré, terminé en rouleau.

— Les supports d'accotoirs, sous l'influence de la mode féminine des paniers, s'évasent vers l'extérieur et reculent par rapport aux pieds antérieurs (fig. 70, 72).

— Le siège lui-même est bordé d'une ceinture de bois apparente et adopte une forme légèrement cintrée (fig. 74).

— Les pieds abandonnent les formes rectilignes : ils s'incurvent en console (fig. 72), ou en pied-de-biche terminé par un sabot (fig. 73). La console peut s'enrouler vers l'intérieur (fig. 69, 72) ou vers l'extérieur (fig. 75).

73. Pieds de biche, terminés par un sabot ; support d'accotoir à l'aplomb du pied.

74. Ceinture apparente, en bois naturel sculpté d'une coquille encadrée de branchages et de croisillons.

75. Entretoise sinueuse en X reliant entre eux les pieds cambrés terminés en rouleaux. Bois naturel sculpté de coquilles, branchages, rinceaux et croisillons ; siège canné.

— Les pieds continuent pendant longtemps à être reliés par des traverses ondulées (fig. 69, 75) qui, peu à peu, vont disparaître (fig. 70).

Tous ces éléments ne coexistent pas obligatoirement sur un même meuble. Un fauteuil Régence peut être dépourvu de traverses, tandis que son dossier reste entièrement garni (fig. 70), ou avoir des pieds-de-biche,

alors que les supports d'accotoirs ne sont pas reculés (fig. 73). Bien d'autres combinaisons encore sont possibles.

Comme tous les styles de transition, le style Régence conserve des caractéristiques de l'époque précédente et annonce la suivante.

Le décor sculpté est généralement très riche. Il continue à obéir aux lois de la symétrie absolue. Les motifs les plus employés sont la coquille, très régulière, dont les formes peuvent être extrêmement variées (fig. 76), les croisillons (fig. 70, 71, 75) marqués en leur centre d'une fleurette,

76. Types de coquilles Régence, toujours très symétriques.

d'une petite rosace ou simplement d'un point, les palmes (fig. 70, 71, 72, 74, 75), encore très légères et peu mouvementées.

Les sièges peuvent être peints, dorés ou argentés, mais le bois est souvent simplement ciré (fig. 70). Les garnitures sont de soie, de velours, de moquette (fig. 70). L'emploi de la canne est très fréquent (fig. 69).

77. Masque de femme souriante, au centre de la ceinture d'une console en bois doré.

78. Singe habillé au sommet d'un écran en bois naturel sculpté de fleurs et de branchages.

D'autres motifs encore ornent les meubles de menuiserie : les figures de femmes souriantes (fig. 77) remplacent les sévères masques Louis XIV, tandis que le goût des chinoiseries et des singeries (fig. 78), annoncé par l'œuvre de l'ornemaniste Jean I. Bérain, dès 1690, s'impose de plus en plus.

Les **tables en console** (fig. 79) restent des meubles très riches, dans lesquels les formes courbes supplantent les lignes droites, en particulier dans le piètement et dans le plateau qui adopte la forme en accolade. Peu à peu, les pieds postérieurs disparaissent, tandis que les deux pieds antérieurs se rejoignent à la base.

Les tables de milieu, les tables à jeux (fig. 80) perdent leurs entretoises.

Dans les **buffets**, les moulures dessinent des panneaux au sommet cintré ou en accolade. A côté des traditionnels buffets à deux corps, on trouve également de longs buffets bas (fig. 81).

79. Table en console en bois sculpté et doré, dont le plateau de marbre brèche mouvementé dessine une accolade ; quatre pieds en consoles, reliés par une entretoise en X ornée de volutes, ceinture très découpée, décorée de coquilles et de branchages (ornée en son centre du blason de Madame de Bullion). Premier quart du XVIIIe siècle. Paris, Musée de l'Assistance Publique.

80. Table à jeu en bois naturel sculpté de coquilles et de croisillons ; quatre petits tiroirs à la ceinture et quatre tirettes d'angle ; pieds de biches sculptés de coquilles et d'acanthes. Vers 1720-1725. Collection particulière.

81. Buffet bas en bois naturel sculpté ; trois vantaux, celui du centre en retrait, ornés de panneaux moulurés au sommet en accolade ; trois tiroirs à la ceinture ; entrées de serrures, gonds et boutons en fer ; pieds toupies (celui de droite cassé) ; dessus de bois. Vers 1715-1725. Paris, Musée des Arts Décoratifs.

LES MEUBLES D'ÉBÉNISTERIE

C'est à cette époque que les marqueteries de bois de rapport, ou bois exotiques, particulièrement le bois de violette, l'amarante, le bois de rose, vont peu à peu supplanter les marqueteries d'écaille et de cuivre : les ébénistes assemblent les lamelles de bois précieux, en variant le sens du fil du bois dont les reflets changent selon la lumière. Ces lamelles de bois dessinent des figures géométriques simples, particulièrement des losanges, ou des rosaces : c'est la technique du « frisage ».

Des bronzes dorés, ou simplement vernis, viennent rehausser l'éclat des bois précieux ; ils peuvent jouer un rôle décoratif, tel un ornement au centre d'un panneau (fig. 82), ou un rôle utilitaire : poignée de tirage (fig. 83, 84), appelées « mains » à cette époque, entrées de serrures (fig. 83, 84) bronzes de protection (fig. 84) destinés à éviter des chocs au fragile décor de bois de placage. Les « mains », richement ouvragées (fig. 83, 84), sont mobiles ; elles sont fixées au tiroir par des plaques ornées le plus souvent de feuilles de chêne et de glands. Les entrées de serrures, en cartouches, sont importantes (fig. 83, 84). Les arêtes des meubles sont protégées par des chutes d'angle et les pieds par des sabots, tandis que la base s'orne d'un motif en « cul-de-lampe » (fig. 84). Les rosaces, les feuilles d'acanthe, les feuilles de chêne, les fleurons sont fréquents, mais aussi les cornes d'abondance (fig. 84) et les profils de femmes souriantes, dites « espagnolettes » (fig. 84), ainsi que les masques de faunes.

L'abandon de la ligne droite est manifeste dans les **commodes** dites « en tombeau » ou « à la

82. Motif de bronze doré finement ciselé au centre d'un panneau orné d'une marqueterie de bois de violette « en frisage ». Encadrement de bronze doré. — 83. « Main » mobile en bronze doré fixée au tiroir par des plaques ornées de feuilles de chêne et de glands. Entrée de serrure en cartouche. Symétrie parfaite.

84. Commode « en tombeau » ou « à la Régence » en placage de bois de violette à compartiments, ornée de riches bronzes dorés ; figures d'espagnolettes et chutes fleuries aux angles, entrées de serrures en cartouches, « mains » mobiles fixées par des plaques ornées de feuilles de chêne, cornes d'abondance, feuilles d'acanthe, masque au centre du tablier. Façade très galbée ouvrant à deux grands tiroirs séparés par une traverse et surmontés d'un rang de trois tiroirs. Pieds bas. Vers 1710-1725. Paris, Musée de l'Assistance Publique.

85. Commode en placage de bois de violette à compartiments, à deux tiroirs séparés par une traverse, portée par des pieds hauts cambrés ; bronzes ciselés et vernis : entrées de serrures surmontées de masques de femmes, mains mobiles fixées par des rosaces, sabots, volutes feuillues sur le tablier. Dessus de marbre mouluré, légèrement cintré à l'avant, ainsi que la façade de la commode. Vers 1725-1735. Collection particulière.

Régence ». Portées par des pieds courts et cambrés, elles comportent deux grands tiroirs et, à la partie supérieure, trois petits tiroirs. Ces rangées de tiroirs sont séparées par des traverses ornées d'une baguette de cuivre. La façade et les côtés de ce genre de commode sont fortement galbés et adoptent souvent un profil « en arbalète ».

Il existe également des commodes à pieds cambrés plus élevés (fig. 85), comportant deux ou trois rangées de tiroirs. Là encore, les formes sont mouvementées et ne rappellent en rien la rigidité du style précédent.

Les **bureaux** abandonnent les rangées de tiroirs qui agrémentaient les bureaux dits « Mazarin ». Ce sont alors de grandes tables portées par quatre pieds-de-biche, sans traverses, et munies de tiroirs à la ceinture. Le plateau rectangulaire est garni d'un cuir et bordé d'un quart-de-rond de cuivre ou de bronze doré (fig. 65).

Les grandes **armoires** de marqueterie sont rares. Les corniches ne sont plus droites, mais adoptent une ligne cintrée, interrompue aux deux extrémités (fig. 86).

C'est ainsi que, peu à peu, des éléments nouveaux viennent modifier le style précédent pour amener insensiblement au style Louis XV qui va connaître un succès extraordinaire, tant en France qu'à l'étranger.

86. Corniche d'une armoire en bois de placage, dessinant un cintre interrompu à ses extrémités.

LE STYLE LOUIS XV

Le style Louis XV est l'un des rares styles français dont la dénomination soit pleinement justifiée : il s'impose en effet à partir de 1730 environ, au moment où le jeune souverain commence à régner réellement, et s'il a tendance à se modifier à la fin du règne, vers 1760-1765, c'est contre la volonté du roi, qui reste fidèle jusqu'à sa mort, en 1774, au style qui porte son nom.

Dans le domaine du mobilier, c'est la première fois que l'on refuse systématiquement tout emprunt à l'Antiquité, toute influence de l'architecture. Le décor s'impose à la forme, la ligne droite est totalement abandonnée, tandis que la courbe triomphe et que l'asymétrie du décor est générale. Le goût du confort est plus grand que jamais. Le roi lui-même y est très sensible. C'est pourquoi les petits meubles commodes vont se multiplier, avec une richesse d'invention qui ne sera jamais dépassée.

La clientèle est nombreuse et exigeante, tant à la ville qu'à la Cour. Les marchands-merciers servent d'intermédiaires entre les acheteurs et les fabricants, auxquels ils imposent de rechercher sans cesse des idées nouvelles.

C'est sous le règne de Louis XV, en 1741, que l'estampille devient obligatoire. En réalité, cette règle n'est pas toujours respectée : certains artisans ont négligé d'estampiller leurs meubles, c'est-à-dire d'y apposer leur signature à l'aide d'un fer chaud.

LES MEUBLES DE MENUISERIE

L'évolution qui s'était manifestée avec le style Régence s'affirme de plus en plus : la ligne courbe remplace dans tous les cas la ligne droite, le mouvement s'accentue, mais aussi la légèreté et le confort.

Les **sièges**. Les traverses disparaissent totalement (fig. 87), les pieds galbés (fig. 90) s'assouplissent, la cambrure prenant naissance moins haut et la forme en S étant plus marquée que dans les pieds « Régence ».

87. Fauteuil en cabriolet en bois mouluré, sculpté et peint de deux tons de vert ; fleurettes au sommet du dossier et des pieds et au centre de la ceinture ; supports d'accotoirs reculés et sinueux, accotoirs garnis de manchettes ; garniture en tapisserie. Vers 1750. Collection particulière.

Sur la page suivante

88. Fauteuil à la Reine en bois mouluré et sculpté de coquilles, peint en bleu et blanc ; garniture de tapisserie au point d'inspiration orientale reprenant les mêmes tons. Estampille de J.-B. Cresson. Vers 1750. Paris, Musée des Arts Décoratifs.

89. Fauteuil en cabriolet en bois naturel simplement mouluré, à dossier violoné et pieds cambrés. Estampille de Louis Delanois, maître en 1761. Vers 1765. Paris, Musée des Arts Décoratifs.

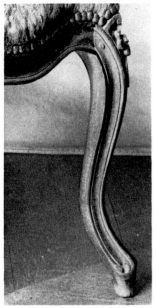
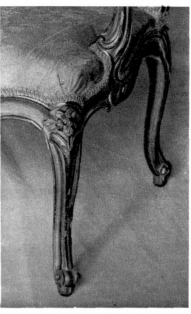

90. Pied cambré, mouluré, terminé par un dé et orné d'une fleurette sculptée à sa partie haute. — 91. Pieds cambrés terminés en rouleaux, reposant sur un dé ; décor de fleurette sculptée.

92. Fauteuil « à la reine » en bois mouluré et sculpté de fleurs, feuillages et cartouches ; supports d'accotoirs reculés et sinueux, accotoirs garnis de manchettes. Estampillé Claude Sené, reçu maître en 1743. Collection particulière.

Les pieds reposent sur un dé, qui à notre époque est bien souvent usé (fig. 92). Le dé peut être surmonté d'un mouvement en rouleaux qui termine le pied (fig. 91).

La ligne ondulée du piètement ne s'interrompt pas, mais se poursuit dans la ceinture d'une part, dans le mouvement des accotoirs et du dossier d'autre part : la délimitation stricte des différentes parties du siège disparaît (fig. 87, 88, 89, 92).

Les dossiers sont moins élevés qu'à l'époque précédente. Le bois est toujours apparent, le

93. Dossier plat, dit « à la Reine », de forme chantournée. — 94. Accotoir garni de manchette ; décor de moulures se poursuivant sur le support d'accotoir d'une part, sur le dossier d'autre part.

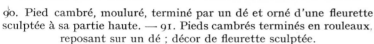

95. Fleurettes au sommet du dossier. — 96. Ceinture mouvementée,
simplement moulurée.

97. Élégant mouvement en volute reliant la ceinture au support d'accotoir.

sommet est mouvementé, les côtés sont « violonés », la base est légèrement sinueuse. Les dossiers peuvent être plats : ils sont alors dits « à la reine » (fig. 92, 93), ou sur plan incurvé : ils sont alors dits « en cabriolet » (fig. 87).

Les accotoirs sont toujours garnis de manchettes ; ils se relient souplement au dossier, dont ils continuent le décor (fig. 94, 97). De même, les supports d'accotoirs qui adoptent une ligne ondulée, s'écartant vers l'extérieur, se raccordent très élégamment à la ceinture du siège (fig. 97). Ils sont toujours reculés par rapport aux pieds antérieurs.

Le décor sculpté des sièges est simple : moulures (fig. 94, 96), une ou deux fleurettes, plus ou moins stylisées, au sommet du dossier (fig. 87, 95), au milieu de la ceinture, au haut des pieds (fig. 87, 90, 91, 97, 98). Parfois, le haut du pied s'orne d'une palmette plissée (fig. 99, 103). La fleurette peut être remplacée par un cartouche, asymétrique (fig. 92, 93) ou non.

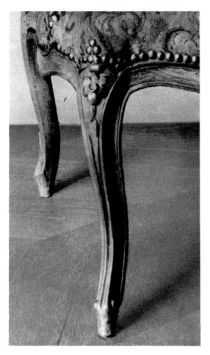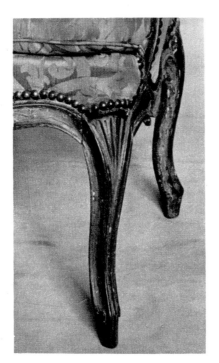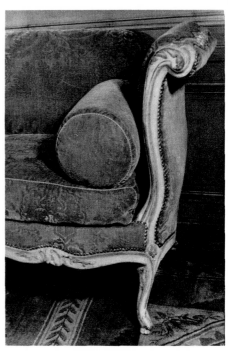

98. Fleurette au sommet d'un pied cambré. 99. Palmette plissée au sommet d'un pied. 100. Dossier enroulé en crosse.

Le décor rocaille de palmes et de cartouches mouvementés (fig. 101) est beaucoup plus rare sur les sièges.

Dans un mobilier de salon, un canapé (fig. 103) s'ajoute presque toujours aux fauteuils, dont il a les mêmes caractéristiques.

Les formes courbes apparaissent également dans les dossiers des lits de repos, souvent enroulés en crosses (fig. 100).

101. Piètement de chaise à décor rocaille de cartouches et de palmes.

102. Bergère confortable en bois mouluré ; forme en cabriolet, dossier et accotoirs pleins et rembourrés d'un seul tenant, supports reculés en volutes, coussin mobile, ceinture mouvementée, pieds cambrés. Estampille de Claude I. Séné. Vers 1750. Collection particulière.

103. Canapé en bois mouluré et sculpté à huit pieds cambrés ornés de palmettes plissées, au dossier mouvementé orné en son centre d'un cartouche, à ceinture ondulée, à accotoirs garnis de manchettes ; garniture de tapisserie au point. Vers 1750. Collection particulière.

Le goût du confort se manifeste dans les bergères (fig. 102), aux côtés entièrement garnis et munies d'un coussin amovible, ainsi que dans les « duchesses », sortes de bergères assez profondes pour s'y allonger complètement ; les « duchesses » sont dites « brisées » lorsqu'un tabouret, également muni d'un coussin, en prolonge le siège. Les « marquises » sont des bergères à deux places.

Les fauteuils de bureau, que l'on appelle alors « fauteuils de cabinet », ont un dossier très enveloppant qui annonce les dossiers en gondole du xIXe siècle. Le siège est circulaire à l'arrière et forme un triangle cintré vers l'avant. Les pieds sont curieusement disposés au milieu des côtés. Les fauteuils de cabinet sont cannés et munis d'une galette et de manchettes de cuir.

Les sièges sont rarement en bois naturel. Le bois est le plus souvent doré ou peint de couleurs fraîches et gaies (fig. 87, 88), parfois de deux tons : bleu et blanc, vert et blanc, lilas et vert, etc.

Les **lits** peuvent être à colonnes, selon l'ancien usage, et entièrement garnis d'étoffes pré-

104. Buffet bas en bois naturel ; façade cintrée ouvrant à deux vantaux ornés de panneaux moulurés et sculptés d'agrafes. Dessus de marbre. Vers 1750. Collection particulière.

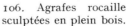
105. Décor de fleurettes stylisées.

106. Agrafes rocaille sculptées en plein bois.

cieuses. Le « lit à la duchesse », au ciel de lit moins grand que la couche, est orné de rideaux. Il comporte un ou deux chevets ou dossiers, tandis que le « lit à la turque », appuyé au mur le long d'un de ses grands côtés, en a trois. Le « lit à la polonaise » appartient à ce dernier type, mais il est surmonté d'un couronnement reposant sur des fers courbés.

Les grandes **armoires** de menuiserie ont des panneaux moulurés à contours plus ou moins chantournés, c'est-à-dire mouvementés ; le décor sculpté peut être abondant, spécialement en province. Les corniches sont cintrées et souvent ornées en leur centre d'un cartouche rocaille asymétrique.

Les **buffets** bas (fig. 104), recouverts d'une tablette de marbre, reposent parfois directement sur le sol. Les buffets à deux corps restent très proches dans leur conception de ceux du XVIIᵉ siècle ; seul le décor change : forme des panneaux, motifs et agrafes rocaille, fleurettes.

Les fleurettes stylisées (fig. 105) et les agrafes rocaille (fig. 106) sont les motifs décoratifs les plus répandus sur les meubles de menuiserie.

Ce sont rarement les menuisiers qui fabriquent les **tables** de toutes sortes qui garnissent les intérieurs. En revanche, ils exécutent de nombreuses **consoles** (fig. 107) destinées à s'assortir aux

107. Console en bois naturel sculpté ; décor rocaille ajouré de coquilles déchiquetées, de guirlandes de fleurs, de palmes, de motifs plissés ; forme mouvementée, deux pieds en console réunis contre le mur par une « noix » sculptée et ajourée. Plateau de marbre. Vers 1740. Paris, Musée des Arts Décoratifs.

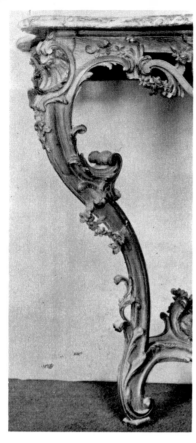

108. Pied de console, formé
d'une suite de courbes et de
contre-courbes reliées entre
elles par des volutes et des
guirlandes de fleurs et de
feuilles.

109. Motif rocaille réunissant
les deux pieds d'une console.

110. Ceinture d'une console en bois naturel sculpté, forme très mouvementée ;
motifs rocaille de coquilles déformées, de peaux plissées, guirlandes de fleurs et
volutes

lambris de boiseries des murs. Le plus souvent, les pieds postérieurs ont disparu. les pieds antérieurs seuls subsistent. Les consoles Louis XV sont un véritable répertoire de formes et de décors rocaille : les pieds (fig. 108) sont faits de courbes et de contre-courbes dont le raccordement est souligné par des chutes de fleurs et des volutes ; la ceinture (fig. 110) est ornée de coquilles déformées, de peaux plissées, de feuillages déchiquetés. Les deux pieds sont réunis à leur partie inférieure (fig. 109) par un motif également rocaille, agrafes déchiquetées, fleurs, etc.

L'asymétrie est de règle dans le décor : les motifs rocaille ne sont pas centrés, mais déjetés vers la droite ou vers la gauche. On ne sait plus s'il faut les appeler coquilles, feuilles, palmettes, mousses. Leurs contours sont déchiquetés ; le bois est percé, fouillé, ajouré (fig. 111).

Mais, si l'asymétrie règne, les artisans français cèdent rarement au délire tortueux que leur propose un ornemaniste comme Meissonier, originaire de Turin. Le plus souvent, le décor reste clair, harmonieux ; les masses sont ordonnées, s'équilibrent.

111. Motif rocaille au centre de la ceinture
d'une console.

112. Petite table de chevet en chiffonnière, de forme contournée, ornée de bronzes ciselés et dorés ; décor de marqueterie de bouquets de fleurs ; trois tiroirs, dont un sur le côté formant écritoire, une tirette. Vers 1750-1760. Paris, Musée Nissim de Camondo.

LES MEUBLES D'ÉBÉNISTERIE

Comme les menuisiers, les ébénistes adoptent la ligne courbe et le mouvement dans les formes, la rocaille et les fleurs dans le décor (fig. 112).

Poussés par le désir de satisfaire leur clientèle, ils vont apporter à la marqueterie et aux bronzes dorés un soin tout particulier.

Ils utilisent les bois exotiques avec un art étonnant, que nous ne pouvons malheureusement pas apprécier totalement, car le temps a fait passer les couleurs souvent éclatantes de ces bois.

Parfois, l'ébéniste utilise les lames d'un même bois en faisant jouer les veines et les tonalités : c'est le « frisage », dessinant toutes sortes de combinaisons, horizontales, verticales, en diagonales, en figures géométriques telles que losanges (fig. 113), cubes, quadrilobes, en ailes de papillon (fig. 115), en éventail (fig. 114). etc.

113. Frisage en compartiments mouvementés, encadré d'un filet de bois clair.

114. Frisage en éventail. — 115. Frisage en ailes de papillon.

116. Marqueterie à décor de fleurs et d'oiseaux.

Mais le style Louis XV est surtout caractérisé par la marqueterie proprement dite :

Les lamelles de bois exotiques de couleurs variées sont découpées en très petits morceaux et collées les unes à côté des autres selon un dessin préétabli. Les ébénistes composent de véritables tableaux de fleurs et d'oiseaux (fig. 116), des trophées de musique (fig. 117) ou d'amour, des scènes à personnages. Ces tableaux sont comme encadrés par des bronzes dorés dans les meubles très riches ; le plus souvent, des ornements de marqueterie (fig. 118) reprenant les dessins du bronze jouent le même rôle, à moins qu'il ne s'agisse d'un simple filet de bois (fig. 120). Ces encadrements, de formes

117. Marqueterie à décor de trophée de musique ; fleurs en bois verdi, lyre en amarante, violon en satiné, flûte en palissandre, sur fond en bois de rose. — 118. Encadrement de filets de bois précieux à l'imitation d'un décor de bronzes dorés.

SUR LA PAGE SUIVANTE
119. Meuble d'appui en marqueterie à décor de fleurs, ouvrant à 2 vantaux ; bronzes ciselés et dorés, dessus de marbre brèche Estampille de Pierre II Migeon. Vers 1765. Paris, Musée des Arts Décoratifs.

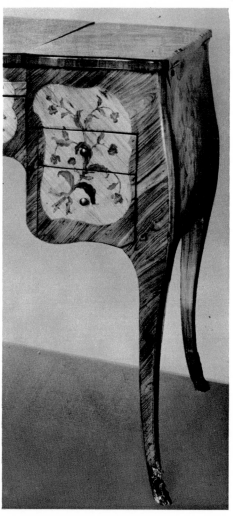

120. Filet de bois clair délimitant le décor de marqueterie.

121. Panneau de laque de Chine à personnages or et rouge sur fond noir, encadrement de bronze doré.

122. Décor de branchages fleuris en marqueterie de « bois debout » ornant une table de toilette.

très mouvementées, ne respectent jamais la structure du meuble, ignorent les tiroirs et les séparations. Les cadres de bronze ou de filets de bois sont à leur tour bordés de champs où le frisage dessine des lignes obliques.

La marqueterie de « bois debout » (fig. 122), c'est-à-dire employant du bois débité perpendiculairement au fil, est plus rare.

Le goût de l'Orient qui était apparu sous Louis XIV continue à être très vif. Les ébénistes emploient parfois des panneaux de laque d'Orient (fig. 121) pour décorer les meubles. Mais la difficulté étant très grande de galber les panneaux orientaux, les artistes sont amenés à les imiter (fig. 134).

Cependant, ils emploient de préférence des vernis à fond clair, ornés de motifs rocaille, de branchages fleuris, de scènes animées de personnages chinois ou de pastorales à la Boucher. Les frères Martin sont les grands spécialistes de ce genre de vernis.

123. Entrée de serrure en cartouche asymétrique.

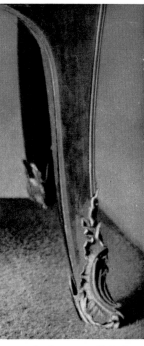
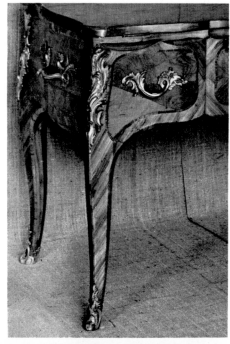

126. Chute d'angle composée d'agrafes rocaille entremêlées, poignée de tirage, poignée de préhension, sabots en bronze doré.

124. Chute d'angle fleurie en bronze doré. — 125. Sabot en bronze doré.

Le décor d'un beau meuble Louis XV ne saurait être complet sans les bronzes. C'est dans ce domaine que le goût de la rocaille et de l'asymétrie se manifeste le plus. Les entrées de serrures sont faites d'un cartouche mouvementé (fig. 123) ; les poignées fixes (fig. 126, 127, 128) sont sinueuses, ornées de feuillages déchiquetés ; les angles sont protégés par des chutes de fleurs (fig. 124) ou des agrafes enchevêtrées (fig. 126) ; les pieds sont munis de sabots (fig. 112, 122, 125, 126) aux contours ondulés ; un motif en « cul-de-lampe » (fig. 128, 133, 134), également asymétrique et mouvementé, orne la traverse du bas ou

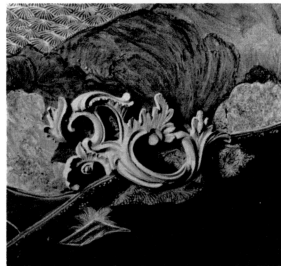

127. Poignée de tirage fixe en bronze doré.

128. Détail de la façade d'une commode en marqueterie à décor de fleurs ; bronzes dorés et ciselés ; poignées de tirage fixes, entrées de serrures en cartouches, cul-de-lampe ornant le tablier ; asymétrie mais équilibre parfait. Il n'y a pas de traverse entre les deux tiroirs, mais une traverse inférieure au profil mouvementé, dont le décrochement central est appelé tablier.

129. Côté galbé d'une petite commode à vantaux garnis de lamelles coulissantes.

130. Pied court dans le prolongement du côté.

le dernier tiroir, dans les secrétaires, les armoires, les commodes. Sur les meubles les plus riches, les ornements de bronze doré protègent toutes les arêtes (fig. 131).

Tous ces bronzes sont fixés d'une manière très apparente par des vis à grosses têtes que l'on ne cherche aucunement à dissimuler.

Les formes galbées sont constantes, les meubles droits sont très rares. Le galbe est plus ou moins accentué, mais il n'est presque jamais boursouflé dans les productions françaises. Les côtés eux-mêmes présentent le plus souvent un renflement marqué (fig. 129). Les pieds courts (fig. 130) prolongent le galbe du côté, les pieds hauts (fig. 132) sont très élégamment cambrés.

Le meuble type du XVIIIe siècle est la **commode**. La Régence en a déjà fixé les traits essentiels. L'époque suivante va continuer à avoir des «commodes à la Régence» ou «commodes en tombeau» (fig. 133), dont les tiroirs descendent très bas et dont les pieds sont très courts. La silhouette générale reste la même, mais les bronzes rocaille sont asymétriques.

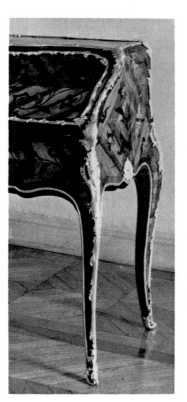

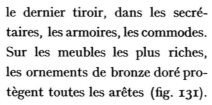

131. Ornements de bronze ciselé et doré protégeant toutes les arêtes d'un meuble très riche.

Les commodes à deux tiroirs et à pieds plus élevés sont également nées à l'époque précédente. Elles vont évoluer peu à peu et permettre aux ébénistes de manifester leur virtuosité : tout d'abord, la carcasse de la commode comporte une traverse séparant les tiroirs, tandis que la traverse inférieure présente un décrochement, le tablier, orné en son centre d'un motif de bronze : le cul-de-lampe. Puis les traverses vont disparaître (fig. 128), d'abord celle qui sépare les tiroirs, puis également celle du bas. C'est alors le dernier tiroir qui prend une forme mouvementée dans sa partie

132. Haut pied galbé.

133. Commode « en tombeau » en placage de bois de violette dessinant des compartiments ; façade galbée ouvrant à deux grands tiroirs séparés par une traverse, et deux plus petits séparés par un dormant ; bronzes dorés ; entrées de serrures, poignées feuillagées, cul-de-lampe rocaille au tablier, les angles sont protégés par un motif orné de deux chimères adossées, tandis que les pieds sont munis de très petites plaques de protection. Dessus de marbre brèche. Estampille de Denizot, reçu maître en 1740. Paris, Musée de l'Assistance Publique.

inférieure et entraîne avec lui le tablier (fig. 134).

Les **encoignures** s'assortissent à la commode, ce sont de petites armoires d'angle dont le devant est plus ou moins cintré.

Parfois, les tiroirs des commodes sont remplacés par des vantaux qui peuvent être à lamelles coulissantes.

134. Commode en laque à l'imitation des laques d'Orient ; forme mouvementée à deux tiroirs sans traverse, le tiroir du bas entraînant le tablier ; pieds cambrés ; riche décor de bronzes rocaille, encadrement, poignées de tirage feuillagées, entrées de serrures, chutes d'angle, sabots ; dessus de marbre brèche. Vers 1740-1750. Paris, Musée des Arts Décoratifs.

Les **meubles à écrire** sont d'une grande variété. Le bureau plat (fig. 135), né au début du siècle, est composé d'un plateau recouvert de cuir et bordé d'un quart-de-rond de cuivre, porté sur quatre pieds cambrés. Il est muni de tiroirs et orné de sabots, d'agrafes, d'entrées de serrures en bronze doré.

La table à écrire, plus petite, comporte un tiroir de ceinture et une tirette.

D'autres meubles à écrire répondent au désir de dissimuler facilement les papiers : « le secrétaire en pente » (fig. 136), appelé aujourd'hui « en dos d'âne », est muni d'un abattant oblique, tandis que le « secrétaire en armoire », posé contre le mur, a un abattant vertical : il est souvent de nos jours appelé « secrétaire à abattant ». Ce modèle se perpétuera tout au long du XVIIIe siècle (fig. 209) et du XIXe siècle (fig. 252, 257). Sous Louis XV, son couronnement manifeste le goût pour la ligne courbe : il

135. Bureau plat en placage de bois de rose ; forme mouvementée à cinq tiroirs et une tablette ; pieds cambrés, plateau légèrement chantourné, garni d'un cuir et bordé d'un quart de rond de cuivre doré ; entrées de serrure chutes d'angle et sabots rocaille en bronze ciselé et doré. Vers 1750-1760. Collection particulière. — 136. Secrétaire en pente en placage de bois de rose ; forme mouvementée, pieds cambrés, bronzes rocaille : entrées de serrures, sabots. Vers 1750. Collection particulière.

est souvent « à doucine » (fig. 137). Le secrétaire à abattant Louis XV type est muni d'un tiroir au-dessus de l'abattant, tandis que la partie inférieure ouvre à deux vantaux.

Le secrétaire « à capucin » (fig. 138) ou « à la Bourgogne » est une table mécanique : la moitié du plateau se rabat vers l'avant et libère un gradin à tiroirs qui sort du corps du meuble grâce à un système de ressorts.

Enfin, c'est pour Louis XV que les ébénistes Œben et Riesener créent le bureau à cylindre qui connaîtra un grand succès sous Louis XVI (fig. 210).

Les **petites tables** sont très nombreuses ; elles se déplacent facilement et donnent plus de confort à la vie quotidienne : tables «en chiffonnière» (fig. 112) munies de tiroirs et d'une tablette permettant d'écrire, tables à café à plateau de marbre ou de porcelaine, tables de chevet dissimulées pendant la journée dans la garde-robe ; les tables de toilette, appelées coiffeuses de nos jours, ont un plateau brisé en trois parties qui se relèvent : celle du milieu est munie d'un miroir, les parties latérales découvrent des casiers plus ou moins profonds contenant les ustensiles de toilette. Les tables à jeux sont nombreuses, spécialement adaptées à chaque jeu.

137. Partie supérieure d'un secrétaire « à doucine ».

138. Bureau « en capucin » ou « à la Bourgogne » ouvert, en marqueterie de losanges ; bronzes ciselés et dorés ; forme mouvementée ; la partie antérieure du dessus se rabat, la deuxième partie se soulève sous l'action d'un ressort et contient des tiroirs ; pieds cambrés. Vers 1750-1760. Paris, Musée Nissim de Camondo.

Les **armoires** d'ébénisterie sont rares et de dimensions plus réduites qu'à l'époque précédente.

Les marbres qui garnissent les meubles Louis XV sont le plus souvent moulurés et de teinte assez soutenue.

Depuis le moment même de sa création, le mobilier Louis XV a joui d'un immense prestige : toute l'Europe a voulu se meubler à Paris ou imiter les productions françaises. C'est alors que les formes galbées vont être parfois exagérées. Aucun style ne manifeste au même point l'élégance, la grâce, le goût du confort. Il est certainement le plus original et le plus français de tous les styles.

Il se poursuit en province jusqu'à la fin du siècle et même au début du XIXe siècle.

LE STYLE TRANSITION

Louis XV meurt en 1774. Mais le style qui porte son nom évolue dès après 1760 et disparaît peu à peu. Les amateurs commencent à être lassés du style rocaille et de ses lignes « tortuées ». Le comte de Caylus, grand voyageur et dessinateur, le graveur Cochin répandent en France les récentes découvertes faites en Grèce et en Italie. On assiste alors, comme à l'aube du XVIe siècle, comme au milieu du XVIIe siècle, à un nouvel engouement pour l'Antiquité.

Très vite, on n'aime à Paris que ce qui est « à la grecque ». Depuis que l'on a retrouvé les ruines d'Herculanum et de Pompéi, on sait comment vivaient les Anciens et on est tenté de rechercher un cadre de vie qui se rapproche du leur.

Cependant, les artisans français du meuble ne peuvent oublier tout ce qu'ils ont appris depuis des siècles. Ils vont adapter leurs œuvres au goût nouveau, certes, mais en maintenant leurs traditions. La grâce, l'élégance, le goût des formes souples, des fleurs, demeurent.

Une transformation radicale ne s'opère pas du jour au lendemain. De même que le style Régence s'insère entre le style Louis XIV et le style Louis XV, de même le « style Transition Louis XV-Louis XVI » garde des réminiscences du Louis XV et annonce le Louis XVI.

139. Table à café en marqueterie de bois de couleur sur fond de bois de rose ; pieds cambrés; ceinture au profil rectiligne, ornée d'anneaux à entrelacs déjà « Louis XVI » ; sabots et chutes de bronze doré qui n'ont plus la fantaisie du rocaille ; dessus de marbre brèche d'Alep mouluré. Estampille de C. C. Saunier, reçu maître en 1752. Vers 1770. Paris, Musée des Arts Décoratifs.

Tout d'abord, des motifs ornementaux nouveaux, inspirés de l'Antiquité, viennent orner des meubles de structure encore Louis XV (fig. 139), tandis que les formes commencent à se raidir.

Puis on trouve dans un même meuble des éléments courbes et des éléments rectilignes.

LES MEUBLES DE MENUISERIE

Les **sièges** « Transition » sont extrêmement intéressants. Ils manifestent les recherches des menuisiers pour trouver des formes nouvelles.

Certains fauteuils ont des pieds droits, mais conservent un dossier mouvementé (fig. 141). Souvent on peut remarquer que le dossier de forme Louis XV a un décor sculpté, typique du style Louis XVI : entrelacs, perles, rubans tournants, etc.

140. Chaise d'une paire, à la reine, en bois naturel mouluré et sculpté ; pieds en consoles surmontés d'un dé de raccordement ; dossier en anse de panier, à décor de rubans tournants ainsi que la ceinture ; feuilles d'acanthe au sommet des pieds. Estampille de Georges Jacob, reçu maître en 1765. Vers 1770. Collection particulière.

141. Fauteuil en cabriolet en bois sculpté et peint en blanc. Pieds droits à cannelures en spirale ; dossier chantourné à décor de perles, d'entrelacs et de branchages, ainsi que la ceinture ; supports d'accotoirs sinueux ramenés au niveau des pieds antérieurs. Estampille de J. B. Lebas, reçu maître en 1756. Vers 1770-1775. Collection particulière.

Dans d'autres cas (fig. 140), ce sont les pieds qui sont encore cambrés, tandis que le dossier en anse de panier est déjà Louis XVI, ainsi que le décor de rubans tournants.

Les menuisiers ont éprouvé des difficultés à relier les accotoirs aux pieds antérieurs lorsque ceux-ci sont droits. C'est un des problèmes les plus difficiles qu'ils auront à résoudre. Ils le feront en marquant très nettement la jonction des différents éléments : pieds, ceinture, accotoirs, dossier.

Les quatre pieds ne sont pas toujours semblables : les pieds antérieurs sont galbés, les pieds postérieurs sont droits, ou le contraire.

LES MEUBLES D'ÉBÉNISTERIE

Dans les meubles d'ébénisterie, les décors fleuris (fig. 151) existent encore. Mais, par réaction contre le style précédent, les ébénistes ont tendance à adopter des marqueteries à dessins géométriques : cubes (fig. 142), grecques (fig. 144), chevrons (fig. 143), rosaces et entrelacs polylobés (fig. 149), entrelacs (fig. 139).

142. Marqueterie de cubes sans fond, entourée d'une grecque.

143. Placage de bois de rose disposé en chevrons.

144. Marqueterie dessinant une grecque.

145. Chute d'angle en bronze doré en forme de plaque à l'antique.

146. Motifs d'angle en bronze doré en forme de triglyphe et gouttes, inspiré de l'Antiquité.

C'est dans les bronzes que se manifeste le plus le goût antiquisant : frise de postes (fig. 149), triglyphes et gouttes (fig. 146) directement inspirés de l'architecture grecque, plaques à l'antique (fig. 145), masques (fig. 149). Les feuilles d'acanthe sont moins déchiquetées. Une petite galerie de bronze doré et ajouré (fig. 150, 151) borde les tablettes de marbre ou de bois. Elle sera reprise tout au long du style Louis XVI.

SUR LA PAGE SUIVANTE

147. Commode en marqueterie, décor au chinois, d'époque transition Louis XV-Louis XVI ; bronzes simplement vernis. Estampille de C. Wolf. Vers 1775. Paris, Musée des Arts Décoratifs.

148. Commode en acajou moiré d'époque Louis XVI ; forme droite à 3 tiroirs, angles arrondis ; bronzes ciselés et dorés. Estampille de J.-F. Leleu, maître en 1764. Vers 1780-1785. Paris, Musée des Arts Décoratifs.

149. Commode en marqueterie à pieds cambrés et montants droits ; à la ceinture, trois petits tiroirs ornés d'une frise de postes en bronze ciselé et doré ; au-dessous, deux grands tiroirs avec décor de marqueterie à rosaces et entrelacs quadrilobés disposé en trois panneaux verticaux à encadrement de bronze doré ; ressaut central ; le décor de bronze ciselé et doré comporte la frise de postes, les plaques à l'antique, les encadredrements des panneaux et les poignées, des feuilles d'acanthe assagies le long des pieds cambrés et un masque sur le tablier ; dessus de marbre bleu turquin. Estampille de Mathieu-Guillaume Cramer, reçu maître en 1771. Vers 1775. Paris, Musée Nissim de Camondo.

Comme pour les sièges, formes galbées et formes droites se rencontrent sur un même meuble. Généralement, les pieds sont cambrés et les montants sont droits.

Les côtés sont plats (fig. 149, 151), ils ne présentent plus la surface galbée caractéristique des meubles Louis XV. Les lignes ondulées des ceintures s'assagissent (fig. 139).

Les **commodes** (fig. 149) sont portées par des pieds courts et cambrés. Elles comportent deux grands tiroirs, séparés ou non par des traverses, et un tiroir de ceinture souvent partagé en trois. La façade est ornée d'un ressaut central qui la divise en trois panneaux verticaux.

150. Table ronde en bois de rose à un tiroir et trois pieds cambrés surmontés de montants droits ; dessus et frise ornés de plaques en porcelaine tendre de Sèvres, à décor de bouquets polychromes sur fond blanc ; galerie ajourée en bronze doré imitant un travail de vannerie ; tablette d'entrejambe en bois de rose à galerie de bronze doré. Estampille de Martin Carlin, reçu maître en 1766. Vers 1770-1780. Paris, Musée Nissim de Camondo.

151. « Bonheur-du-jour » en marqueterie à bouquets fleuris dans des encadrements ; gradin élevé à deux tiroirs et deux vantaux coulissants ; dessus de marbre blanc bordé sur trois côtés d'une galerie de bronze doré ajourée ; plateau se rabattant ; deux tiroirs à la ceinture, pieds cambrés. Vers 1770-1775. Paris, Musée des Arts Décoratifs.

Deux **meubles à écrire** nouveaux apparaissent durant cette période : le « bureau à cylindre », créé pour Louis XV par Œben, commandé en 1760, livré par Riesener en 1769, le « bonheur-du-jour » (fig. 151), sorte de table à écrire munie d'un gradin à tiroirs. Tous deux vont connaître un succès durable (fig. 210, 274).

Les petites **tables** (fig. 150) manifestent les mêmes caractéristiques : adoption simultanée des lignes courbes et des lignes droites. Certains ébénistes doteront d'ailleurs les meubles légers de pieds cambrés jusqu'à la fin du règne de Louis XVI.

LE STYLE LOUIS XVI

Peu à peu, le nouveau style s'impose. La ligne droite triomphe, mais sans rigueur excessive. Certes, le style Louis XVI est caractérisé par une structure nettement architecturale, la clarté, la simplicité, la symétrie. Mais l'harmonie des proportions, la fantaisie du décor, l'adoption fréquente de la ligne courbe qui vient adoucir la silhouette trop stricte de certains meubles font de ce style l'un des plus aimables de l'histoire du mobilier français.

Ceci s'explique facilement : le goût pour l'Antiquité, si fort à ce moment, ne peut faire oublier la grâce, le charme, le confort des créations de l'époque de Louis XV.

On peut bien acheter des meubles « dans le goût grec », mais on n'en est pas encore à rechercher l'austérité des mœurs et à célébrer les héros. C'est la société nouvelle, issue de la Révolution, qui manifestera, pour un temps assez bref d'ailleurs, ce genre de préoccupation.

Marie-Antoinette et son entourage, les nobles, les financiers, la bourgeoisie riche vont vivre dans un cadre agréable, fleuri, gracieux, et ce n'est qu'à la fin du règne que le style évoluera vers une plus grande sévérité.

LES MEUBLES DE MENUISERIE

Les **sièges** Louis XVI sont caractérisés par une construction très logique qui ne cherche en aucune façon à dissimuler la structure du meuble. Au contraire, les menuisiers marquent nettement les points de jonction des différents éléments : un « dé de raccordement » (fig. 153), souvent orné d'un motif sculpté, souligne l'endroit où les pieds et la ceinture se rejoignent.

152. Fauteuil en cabriolet, d'une paire, en bois peint en blanc et sculpté ; dossier à médaillon, relié au siège par deux volutes ; supports d'accotoirs dessinant une ligne courbe, pieds droits à cannelures rudentées ; décor de rais de cœur, perles, fils de piastres, feuilles d'acanthe. Vers 1780-1785. Paris, Musée des Arts Décoratifs.

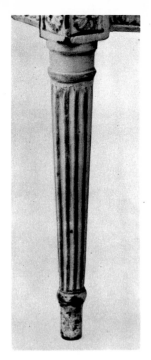

153. Dé de raccordement orné sur deux faces d'une rosace sculptée. — 154. Pied droit à cannelures. — 155. Pied droit à cannelures en spirale. — 156. Pied droit à cannelures rudentées.

Les pieds antérieurs sont toujours droits, les pieds postérieurs sont souvent légèrement inclinés vers l'arrière pour une meilleure assise. Les pieds sont ronds et effilés, creusés de cannelures droites (fig. 154) ou en spirale (fig. 155). Lorsque les cannelures sont remplies d'une baguette ou de perles jusqu'à une certaine hauteur, elles sont dites rudentées (fig. 156).

Le siège peut être carré (fig. 162), cintré sur le devant (fig. 152), de forme violonée (fig. 157).

L'accotoir garni d'une manchette est d'abord reculé par rapport au pied, auquel le relie une ligne courbe qui vient s'arrêter sur le dé de raccordement (fig. 158). Puis, par suite de l'abandon de la

157. Siège canné de forme violonée. — 158. Support d'accotoir reliant le bras au siège par une ligne courbe venant rejoindre le dé de raccordement.

159. Support d'accotoir en balustre en arrière du pied antérieur. — 160. Support d'accotoir en forme de balustre à cannelures rudentées. — 161. Support d'accotoir en balustre à l'aplomb du pied antérieur.

mode féminine des paniers, le support d'accotoir se rapproche du pied antérieur (fig. 159), puis est placé juste à l'aplomb du pied (fig. 161) ; il est alors en forme de balustre (fig. 160), légèrement renflé.

Le dossier peut être sur plan cintré, en cabriolet, ou sur plan droit, à la reine. Il adopte des formes variées : carré ou rectangulaire (fig. 162), en anse de panier (fig. 164) à la partie supérieure, en chapeau (fig. 163) lorsque la partie supérieure s'échancre, en médaillon (fig. 152), c'est-à-dire

162. Grand fauteuil d'une paire, en bois sculpté et peint en gris, bleu et rose ; pieds droits à cannelures rudentées ; dossier et siège rectangulaires, accotoirs reculés ; décor sculpté de fleurettes, rais de cœurs, perles et feuilles d'acanthe. Estampille de Georges Jacob, reçu maître en 1765. Vers 1780-1790. Paris, Musée Nissim de Camondo.

163. Bergère d'une paire en bois sculpté et peint ; dossier en chapeau, délimité par deux culots de feuilles d'acanthe, pieds droits cannelés, accotoirs reliés au siège par une ligne rampante ; décor sculpté de rais de cœurs, perles, rosaces et feuilles d'acanthe. Vers 1780. Collection particulière.

164. Dossier en anse de panier.

165. Dossier en écusson encadré de deux colonnettes cannelées.

ovale, en écusson (fig. 165). Parfois, le dossier est encadré de colonnettes (fig. 165) dans les sièges les plus riches.

A la fin du règne, l'anglomanie se manifeste par l'adoption de dossiers ajourés : ils sont, en France, en lyre (fig. 166), en montgolfière (fig. 167).

Le bois peint de couleurs fraîches domine : blanc, lilas, jonquille, vert d'eau. (Le fameux « gris Trianon » est une invention du XIXᵉ siècle.) Il y a aussi du bois doré et, à la fin du règne, de l'acajou (fig. 166) ou du hêtre teinté façon acajou. Dans certains cas, le bois reste à l'état naturel ; il est simplement ciré.

166. Chaise en hêtre teint façon acajou à dossier ajouré orné d'une lyre entre deux colonnettes cannelées ; siège cintré sur le devant ; pieds droits cannelés et rudentés, dés de raccordement à rosaces. Vers 1785. Paris, Musée des Arts Décoratifs. — 167. Dossier en forme de montgolfière, ajouré d'une gerbe. — 168. Dossier canné en anse de panier délimité par deux culots de feuilles d'acanthe.

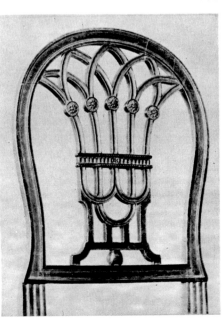

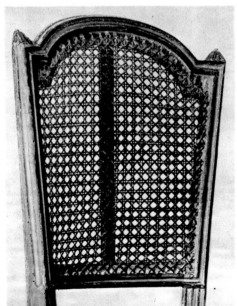

169. Décor sculpté d'entrelacs.

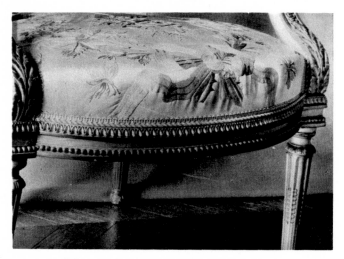

170. Décor sculpté de rais-de-cœur surmontant un
fil de perles.

Les garnitures des sièges peuvent être de soie, de velours, de tapisserie à l'aiguille ou d'Aubusson, de toile de Jouy. Enfin, il existe des sièges cannés (fig. 168), c'est le cas en particulier des fauteuils de cabinet.

Le décor sculpté est très fin. Sur les sièges les plus simples, des moulures ornent la ceinture et le dossier. Très souvent, le décor se compose d'un petit motif en ligne, inspiré de l'antique : perles (fig. 170), rais de cœur (fig. 170), entrelacs (fig. 169), fils de piastres (fig. 171) ; des feuilles d'acanthe (fig. 171) ornent souvent le support d'accotoir. Le goût tapissier, dont nous reparlerons à propos des meubles d'ébénisterie, se manifeste avec les rubans tournants (fig. 172).

On retrouve les mêmes types de sièges que dans le style précédent : tabourets chaises (fig. 166), fauteuils (fig. 152, 162), bergères (fig. 163), marquises, canapés. Certains de ces canapés adoptent des noms caractéristiques du goût de l'époque pour les turqueries : ottomane à dossier et siège ovales, sopha, sorte de divan d'alcôve garni de coussins, sultane (fig. 173), lit de repos à deux chevets de même hauteur.

Les **lits** sont soit « à la française » avec un dais rectangulaire de mêmes dimensions que la couche,

171. Décor sculpté de fils de piastres sur le support d'accotoir, orné à sa base d'une feuille d'acanthe, de rais de cœur surmontant des rubans tournants à la ceinture.

172. Décor sculpté de rubans tournants à la ceinture, de fils de piastres et de feuilles d'acanthe sur les supports d'accotoirs.

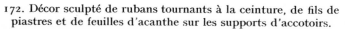

173. « Sultane » ou lit de repos à deux chevets égaux en bois sculpté et peint ; montants en colonnettes cannelées et surmontées de pommes de pin ; pieds courts cannelés ; décor sculpté de rais-de-cœur, de fils de piastres et de rosaces ornant les dés de raccordement. Vers 1780. Collection particulière.

ou plus court ; ils sont placés perpendiculairement au mur et ne comportent qu'un seul chevet ; soit « à la polonaise », c'est-à-dire placés le long du mur et surmontés d'un petit dais porté par des fers courbes. Le dais a le plus souvent disparu. Ces lits « à la polonaise » ont deux ou trois chevets.

Les grandes **armoires** de bois naturel sont le plus souvent d'origine provinciale, ainsi que les **buffeis**.

Enfin, les **commodes**, les **consoles**, les petites **tables**, les **secrétaires**, dont nous étudierons les formes plus loin, sont souvent exécutés en noyer ou en bois fruitier comme sous Louis XV.

LES MEUBLES D'ÉBÉNISTERIE

Comme pour les meubles de menuiserie, la structure des meubles d'ébénisterie apparaît beaucoup plus nettement que dans le style précédent ; les différentes parties du meuble se distinguent franchement les unes des autres.

174. Commode en acajou moucheté à deux tiroirs sans traverse, et trois petits tiroirs dans la frise ; forme droite à léger ressaut central, angles arrondis à colonnettes cannelées et rudentées, pieds droits cannelés ; encadrements de bronze doré dessinant trois panneaux verticaux, poignées en anneaux, rosaces, sabots de bronze doré. Vers 1785-1790. Paris, Musée des Arts Décoratifs.

175. Côté concave d'une commode dont les angles sont abattus.

176. Commode demi-lune en acajou à deux tiroirs sans traverse et un petit dans la frise ; dessus de marbre bordé d'une galerie ajourée, frise d'entrelacs, encadrements, poignées en anneaux, entrées de serrures, cul-de-lampe, chutes d'angle en bronze doré et ciselé ; pieds droits fuselés. Vers 1780-1785. Paris, Musée des Arts Décoratifs.

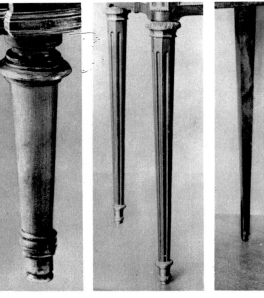

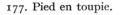

177. Pied en toupie.

178. Pied dans le prolongement du montant.

179. Pied cylindrique fuselé. — 180. Pied hexagonal cannelé. — 181. Pied en gaine quadrangulaire.

182. Décor de marqueterie : frisage à chevrons.

La ligne générale est droite, mais les ébénistes savent éviter la sécheresse. La façade d'une commode peut ne pas être absolument plate, mais s'orner d'un ressaut central (fig. 174). Les angles sont souvent abattus (fig. 175, 182) ou arrondis (fig. 174, 209), les côtés adoptent parfois une forme concave

SUR LA PAGE SUIVANTE

183. Fauteuil en cabriolet en bois sculpté, peint en blanc, à dossier en chapeau, encadré de colonnettes cannelées détachées, supports d'accotoirs cintrés, pieds droits cannelés. Vers 1775-1780. Estampille F.-G. Paris, Musée des Arts Décoratifs.

184. Fauteuil à dossier plat en bois sculpté et doré ; supports d'accotoirs reculés en forme de colonnettes renflées ; garniture en tapisserie de Beauvais, portant le monogramme dit de la Du Barry. Estampille de Georges Jacob, maître en 1765. Vers 1780-1785. Paris, Musée des Arts Décoratifs.

185. Décor de marque-
terie : losanges.

186. Décor de mar-
queterie : losanges
fleuris.

(fig. 175) ou convexe (fig. 176) ; les meubles
sont alors dits « en demi-lune ».

Les pieds sont toujours droits ; seules
les petites tables continuent à avoir des
pieds cambrés pendant très longtemps (fig.
212). Les pieds droits sont d'une grande
diversité : pied cylindrique fuselé (fig. 179),

187. Décor de marqueterie : fleurs en bouquet.

188. Décor de marqueterie : fleurs en corbeille.

pied en gaine quadrangulaire (fig. 181), pied
hexagonal (fig. 180), pied dans le prolongement
du montant (fig. 178), pied toupie (fig. 177) à la
fin du règne. Quelle que soit leur forme, ils sont
souvent ornés de cannelures (fig. 180).

Les ébénistes restent fidèles à la marqueterie,
qui adopte souvent un décor géométrique : frisage

189. Décor de marqueterie : trophée de musique.

78

190. Décor de marqueterie : ustensiles, écritoire, vases de fleurs, draperie, encadrés d'une grecque.

191. Acajou moucheté.

192. Acajou moiré.

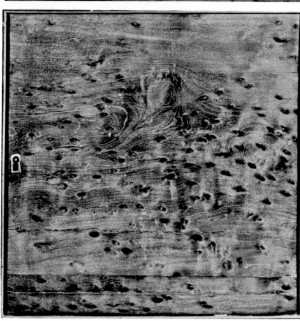

(fig. 182), cubes, losanges (fig. 185), losanges fleuris (fig. 186). On continue a aimer les fleurs : en bouquets (fig. 187), en corbeilles (fig. 188). Les trophées (fig. 189), les ustensiles (fig. 190), les décors au chinois sont appréciés.

Mais le placage d'acajou, d'influence anglaise, est de plus en plus répandu. Il peut être moucheté (fig. 191), ramagé, moiré (fig. 192).

Le décor peut être également de laque (fig. 193) ou de porcelaine (fig. 150).

193. Panneau de laque du Japon noir et or.

194. Vantail d'un meuble d'appui en acajou et citronnier ; panneau délimité par un encadrement de bronze doré dont les angles sont échancrés pour loger une rosace.

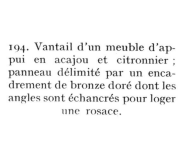

195. Bronze doré et ciselé : feuille d'acanthe protégeant un angle.

196. Bronze doré et ciselé : motif en cul-de-lampe ornant le tablier d'un secrétaire.

197. Bronze doré et ciselé : sabot protégeant un pied.

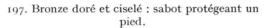

Le bronze doré est un élément essentiel du décor. Il y a infiniment moins de fantaisie dans la répartition des bronzes dorés dans le style Louis XVI que dans le style Louis XV. La façade d'un meuble est souvent divisée en panneaux, encadrés, soulignés de bronzes dorés (fig. 194), ou de cuivre dans les meubles moins riches. Ces panneaux ne révèlent pas toujours la véritable architecture du meuble (fig. 174). Les angles de ces panneaux s'échancrent parfois pour loger une rosace (fig. 194).

Les bronzes protègent les angles (fig. 195) et les pieds (fig. 197), un cul-de-lampe orne éventuellement le tablier (fig. 196).

Les poignées de tirage, toujours pendantes, sont le plus souvent rondes (fig. 198), tandis que les entrées de serrures sont nettement marquées : le modèle le plus typique est un médaillon ovale orné d'un nœud de ruban (fig. 200). A la fin du règne, les poignées de tirage deviennent rectangulaires (fig. 199).

La petite galerie de bronze doré et ajouré, apparue vers les années 1765-1770, se répand de plus en plus (fig. 176, 210, 212).

198. Bronze doré et ciselé : poignée de tirage en forme d'anneau suspendu par un nœud de ruban.

199. Poignée de tirage en cuivre doré, de forme rectangulaire.

200. Bronze doré et ciselé : entrée de serrure en forme de médaillon ovale suspendu par un nœud de ruban.

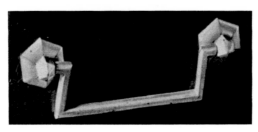

201. Bronze doré et ciselé : frise de postes. — 202. Bronze doré et ciselé : frise de rinceaux feuillagés. — 203. Bronze doré et ciselé : plaque brettée. — 204. Bronze doré et ciselé : frise d'entrelacs. — 205. Bronze doré et ciselé : frise de palmettes.

Le tiroir de ceinture est fréquemment orné d'une longue frise décorative.

Les ornements de bronze doré qui délimitent des panneaux, qui décorent les frises, sont le plus souvent des motifs de petite taille, finement ciselés et répétés en ligne. Ils sont tirés de la grammaire

décorative de l'Antiquité : fils de perles (fig. 201), torsades (fig. 197), raies de cœur (fig. 192), oves (fig. 203), frises de postes (fig. 201), d'entrelacs (fig. 204), de rinceaux (fig. 202). Rosaces et feuilles d'acanthe marquent les angles (fig. 195), garnissent les pieds (fig. 197). A la fin du règne apparaissent les palmettes (fig. 205). Des plaques brettées (fig. 203) revêtent parfois les pieds, les montants, les tiroirs. Des bagues de bronze garnissent souvent les pieds (fig. 174, 208).

Mais le goût de l'Antiquité est tempéré par l'amour des fleurs et par le « goût tapissier », très répandu sous l'influence de Marie-Antoinette : nœuds de ruban (fig. 200), rubans tournants, cordelières, glands (fig. 206), drapés (fig. 206).

Sur les meubles les plus riches, des ébénistes, tel Riesener, appliquent de véritables tableaux de bronze doré.

Le cuivre est souvent employé dans les meubles les plus simples : moulures, intérieur des cannelures, bagues autour des pieds.

206. Encoignures à étagères d'un meuble d'appui ; tablettes de marbre blanc, bordées d'une galerie ajourée en bronze doré, ornée de drapés retenus par des cordelières à glands, également en bronze doré.

207. Chiffonnier en bois de placage à huit tiroirs séparés par des traverses : montants droits à leur partie supérieure, à pans coupés ensuite ; petits pieds cambrés ; entrées de serrures en bronze doré, en médaillons enrubannés ; dessus de marbre. Vers 1765-1770. Collection particulière.

208. Table à écrire en acajou, à tiroirs latéraux et une tirette ; angles du plateau, recouvert de cuir, à pans coupés ; angles de la ceinture arrondis ; pieds hexagonaux cannelés ; encadrement de rais-de-cœurs, poi-

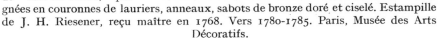

gnées en couronnes de lauriers, anneaux, sabots de bronze doré et ciselé. Estampille de J. H. Riesener, reçu maître en 1768. Vers 1780-1785. Paris, Musée des Arts Décoratifs.

La **commode** Louis XVI (fig. 148, 174) est le plus souvent portée par des pieds courts. Elle comporte deux grands tiroirs séparés ou non par des traverses et un tiroir de ceinture qui peut lui-même être divisé en trois. Elle peut être en demi-lune (fig. 176).

Parfois, la commode ouvre à **vantaux** qui souvent dissimulent des tiroirs. Ces vantaux peuvent être à glissières.

La commode à encoignures est garnie sur les côtés d'étagères (fig. 206) en quart de cercle pour l'exposition des objets d'art.

Comme sous Louis XV, les **encoignures** s'assortissent aux commodes.

Le **bas d'armoire** repose directement sur le sol, il ouvre à vantaux.

Le **semainier** est muni de sept tiroirs, le chiffonnier de huit (fig. 207).

Les **meubles à écrire** sont variés. Ils reprennent les formes du style précédent, mais avec des lignes droites : table à écrire (fig. 208), bureau plat, secrétaire à abattant (fig. 209), Le bonheur-du-jour (fig. 151) triomphe depuis les années 1765-1770, tandis que le bureau à cylindre (fig. 210), créé par

209. Secrétaire « en armoire » ou « à abattant », en acajou ; forme droite ; angles arrondis ornés de cannelures ; un tiroir à la frise, un abattant à la partie supérieure, deux vantaux à la partie inférieure ; pieds courts, fuselés ; dessus de marbre ; entrées de serrures en médaillons enrubannés et poignées en anneaux en bronze doré et ciselé. Vers 1780-1785. Paris, Musée de l'Assistance Publique.

210. Secrétaire à cylindre en acajou surmonté d'un gradin à trois tiroirs ; forme droite, côtés du cylindre arrondis et cannelés, cinq tiroirs, tirettes latérales, pieds fuselés, bagués et cannelés ; intérieur à trois tiroirs, compartiment et plateau coulissant garnis d'un cuir ; dessus de marbre blanc bordé d'une galerie ajourée de bronze doré. Estampille de J. H. Riesener, reçu maître en 1768. Vers 1780-1785. Paris, Musée des Arts Décoratifs.

Œben et Riesener pour Louis XV, connaît également un grand succès.

Les **armoires** d'ébénisterie sont rares et généralement d'assez petite taille.

Une nouveauté : la **vitrine** (fig. 211), dont les portes sont garnies de vitres.

Les **petites tables** sont très nombreuses : tables de chevet, souvent cylindriques (fig. 212), tables en chiffonnière, munies de tiroirs ou de vantaux, tables à thé ou à café, tricoteuses, tables de toilette qui parfois adoptent une forme de cœur, jardinières, rafraîchissoirs (fig. 213), ou tables-servantes. Toutes ces tables conservent pendant longtemps des pieds cambrés (fig. 212).

La table de salle à manger apparaît ; presque toujours en acajou, elle est circulaire ou carrée, portée sur des pieds effilés.

Les **tables à jeux** ont une forme adaptée à chaque jeu : rectangulaire pour le trictrac, ronde pour le brelan, etc.

Les **consoles** adoptent les mêmes formes que les commodes : rectangulaires, en demi-lune, à côtés concaves. Le plus souvent, elles ont quatre pieds, alors que dans le style Louis XV elles n'en comportaient que deux, et peuvent être munies d'un tiroir.

Les meubles d'ébénisterie sont garnis soit d'un plateau de bois, soit d'un marbre. Celui-ci est toujours d'une teinte claire, blanc ou bleu turquin, c'est-à-dire gris-bleu très pâle.

Les roulettes rendent plus commode l'emploi des petites tables utilitaires (fig. 213).

Le style Louis XVI, élégant, aimable, marque l'aboutissement de ce goût du confort et de la douceur de vivre qui avait commencé à se manifester au début du XVIIIe siècle.

211. Vitrine d'une paire en marqueterie de bois de rose et citronnier, à décor de losanges fleuris ; cul-de-lampe de bronze ciselé et doré ; deux vantaux vitrés à mi-hauteur. Estampille de Roger Vandercruse, dit Lacroix, reçu maître en 1755. Vers 1775. Paris, Musée Nissim de Camondo.

212. Table de chevet cylindrique en acajou, à dessus pivotant bordé d'une galerie ajourée en bronze doré, un tiroir ; encadrement de fils de perles, entrée de serrure, boutons et sabots de bronze doré. Pieds cambrés. Vers 1770-1775. Collection particulière.

213. Rafraîchissoir en acajou, à deux seaux en cuivre argenté et deux compartiments oblongs ; dessus en partie couvert de marbre blanc ; un tiroir, deux tablettes d'entrejambe ; poignées latérales, anneau, sabots et roulettes en bronze doré et ciselé ; pieds très légèrement cambrés. Par Joseph Canabas, reçu maître en 1766. Vers 1766-1775. Paris, Musée Nissim de Camondo.

Mais le retour à l'Antiquité amène peu à peu des lignes plus sévères : la sobriété puis la solennité succéderont à la grâce fleurie du XVIIIe siècle.

LA FIN DU XVIIIe SIÈCLE - LE STYLE DIRECTOIRE

Le style Louis XVI avait commencé à évoluer dès la fin de l'Ancien Régime, vers 1785, et on peut trouver sur certains meubles, dont on sait qu'ils ont été fabriqués avant la Révolution, des caractéristiques que l'on attribue généralement au style Directoire. Il vaut donc mieux parler de style de la fin du XVIIIe siècle, le Directoire lui-même n'ayant eu qu'une brève existence historique, de 1795 à 1799. Le style Directoire est un style de transition entre le « Louis XVI » et l'« Empire » : il prolonge l'un et annonce l'autre.

Les conditions de vie ont changé : d'une part, la clientèle de l'Ancien Régime n'existe plus et le pays s'est appauvri pendant les années révolutionnaires ; d'autre part, la vie professionnelle s'est modifiée, en raison surtout de la suppression des corporations.

214. Mobilier de salle à manger en acajou. Table ovalisée à pieds en gaines munis de sabots carrés ; chaises à dossier ajouré terminé par un balustre formant poignée, pieds antérieurs en fuseau, postérieurs en sabre. Vers 1795-1800. Collection particulière.

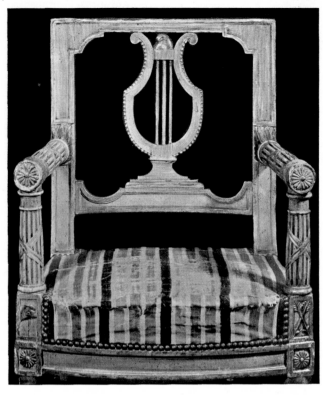

215. Emblèmes révolutionnaires ornant un fauteuil d'enfant :
bonnets phrygiens, faisceaux de licteur.

Il n'y a plus de barrière entre les ébénistes et les menuisiers : un même atelier peut fabriquer des meubles de bois massif ou de bois de placage. Mais la clientèle n'a ni l'envie, ni les moyens de commander des meubles trop coûteux : les marqueteries compliquées, les bronzes dorés finement ciselés disparaissent. L'acajou et le cuivre les remplacent, accentuant ainsi le goût qui s'était déjà manifesté pendant les dernières années du règne de Louis XVI.

L'amour de l'Antiquité est plus fort que jamais : déjà le comte d'Artois et Madame Élisabeth avaient fait exécuter un mobilier « à l'étrusque ». Mais surtout, ce qui caractérise la fin du siècle, c'est un appauvrissement général du décor et une plus grande sécheresse des formes.

Pendant les années révolutionnaires, on agrémente les meubles de décors d'actualité (fig. 215) : bonnets phrygiens, faisceaux de licteur, etc., ceci sera évidemment une mode passagère.

Les **sièges** de bois peint d'une couleur claire sont encore nombreux, mais l'acajou ou le hêtre teinté façon acajou le remplacent souvent. Les supports d'accotoirs en retrait (fig. 216) sont exceptionnels. Le plus souvent, comme à la fin du règne de Louis XVI, ils sont en forme de balustres, à l'aplomb des pieds antérieurs (fig. 217) ; il y a alors un double dé de raccordement, le premier étant orné d'une marguerite ou d'un losange ; le deuxième, plus haut que large, de cannelures verticales ou

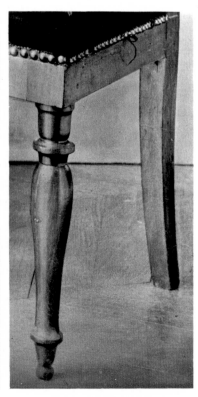

216. Support d'accotoir en double fuseau terminé par une boule, fixé en arrière du pied antérieur en sabre. — 217. Pied antérieur en fuseau cannelé ; double dé de raccordement, le premier carré, orné d'une marguerite, le second plus haut que large, orné de cannelures, surmonté du support d'accotoir en forme de balustre à cannelures en spirales, pied postérieur en sabre. — 218. Pied antérieur en fuseau, dé de raccordement non décoré ; pied postérieur en sabre.

219. Quatre pieds « en sabre »
ou « à l'étrusque ».

220. Dossier plein enroulé
vers l'extérieur.

221. Support d'accotoir en balustre dont
la partie supérieure s'enroule vers l'extérieur.

horizontales. Les pieds postérieurs
à section carrée sont inclinés vers
l'arrière (fig. 214, 217, 218) : ils sont
dits « en sabre » ou « à l'étrusque » ;
les pieds antérieurs sont en fuseau
plus ou moins fin (fig. 214, 217, 218,
222). Plus rarement, les quatre pieds
sont à l'étrusque (fig. 219). Parfois,
le balustre du support d'accotoir
affecte à sa partie supérieure un mouvement en crosse vers l'extérieur
(fig. 221).

222. Chaise en acajou à dossier ajouré ;
poignée creusée dans la traverse supérieure ; siège cintré à l'avant, pieds antérieurs en fuseau, postérieurs en sabre ;
vers 1790-1795. Estampillée Georges
Jacob. Paris, Cour des Comptes.

Ce mouvement enroulé vers l'extérieur caractérise également certains dossiers (fig. 220) dont les uns sont rectangulaires, tandis que d'autres dits « à cornes » sont plus larges au sommet qu'à la base.

Le plus souvent, les dossiers sont ajourés (fig. 214, 222) : une traverse réunit les montants entre eux ; elle est parfois reliée au siège par une grille découpée, à colonnettes, à palmettes (fig. 222), etc., ou par une bande de bois plein (fig. 223). Souvent une poignée découpée dans la traverse, qui lorsqu'elle est large est appelée bandeau (fig. 222), ou un balustre détaché (fig. 214) permettent de déplacer plus commodément le siège.

On trouve fréquemment sur les sièges à dossier ajouré des décors d'incrustations d'ébène, de

223. Incrustations d'ébène dans l'acajou : filets, palmettes, arabesques, fleurettes, feuilles de laurier.

224. Support d'accotoir en forme de sphinge ailée, posé sur un double dé de raccordement surmontant un pied en fuseau.

225. Pied en jarret de lion.

bois clair, d'ivoire ou d'étain (fig. 223), et plus rarement des bandes de papier peint de scènes à l'antique.

Le goût de l'Antiquité ne se manifeste pas seulement dans les pieds à l'étrusque ; les sphinges (fig. 224) qui ornent certains supports d'accotoirs évoquent la Grèce, tandis que les jarrets de lion (fig. 225) rappellent les souvenirs de la campagne d'Égypte. Enfin, les sièges curules (fig. 226) à piètement en X sont directement empruntés à l'Antiquité romaine.

Les sièges confortables, synonymes de douceur de vivre, sont plus rares ; cependant, la méridienne, parfois appelée « couche à l'antique », telle qu'elle apparaît dans le portrait de Mme Récamier, par David, est très appréciée, sans doute en raison de sa référence à l'Antiquité.

D'après les planches du *Journal des Dames et des Modes* publié par La Mésangère, les *lits* s'inspiraient également beaucoup de l'Antiquité. Ceux que nous pouvons voir, la plupart du temps en acajou, sont plus simples : à la française, c'est-à-dire perpendiculaires au mur et surmontés d'un baldaquin, mais généralement « lits de côté », placés le long du mur, dont les chevets sont ornés de sculptures et souvent surmontés d'un fronton triangulaire (fig. 227). Les lits-bateaux, aux montants enroulés vers l'extérieur, apparaissent à la fin du siècle et caractérisent surtout le XIXe siècle (fig. 238).

226. Fauteuil en acajou en forme de siège curule, pieds en X, accotoirs droits, dossier rectangulaire mouluré. Vers 1797-1798. Collection Grognot-Joinel.

227. Fronton triangulaire couronnant l'un des chevets d'un lit en acajou sculpté ; montant orné d'une caryatide en gaine.

228. Console, d'une paire, en acajou à filets de cuivre doré ; côtés concaves, dessus de marbre blanc bordé d'une galerie de cuivre ajourée, tablette d'entrejambe ; pieds toupies, montants en colonnettes renflées, un tiroir à la ceinture, muni de poignées rectangulaires. Vers 1785-1790. Paris, Musée des Arts Décoratifs.

229. Pied en gaine, terminé par un sabot carré, monté sur une roulette.

230. Montant antérieur en caryatide en gaine, montant postérieur plat, pieds toupies.

Dans le domaine de ce qu'il était convenu d'appeler les meubles d'ébénisterie, les formes et les décors reprennent certaines caractéristiques des meubles de la dernière période du style Louis XVI, comme les poignées rectangulaires ou les pieds toupies, les formes plus sèches ou les palmettes. La fantaisie, la grâce sont désormais bannies au profit de l'austérité. Les bois peints ou l'acajou succèdent aux marqueteries de bois précieux, le cuivre remplace le bronze doré. Les entrées de serrures sont très discrètes, en forme d'écusson, de losange, ou même simplement soulignées d'un filet de cuivre. Le losange est le motif décoratif le plus fréquemment employé, sans doute le plus typique du style Directoire.

Le décor fait parfois appel à la technique de l'incrustation, délaissée depuis le XVIe siècle : opposition de bois clair et d'acajou, grands losanges de bois clair, eux-mêmes incrustés de motifs tels que cygnes, palmettes, rinceaux, qui viennent égayer les sombres surfaces d'acajou. Mais le plus souvent le décor est uniquement constitué de panneaux délimités par des filets de cuivre (fig. 231).

Les **commodes** sont toutes construites sur le même modèle : elles comportent une série de trois

231. Table en chiffonnière, en acajou et cuivre doré. Dessus de marbre à galerie de cuivre ajourée ; trois tiroirs en façade ornés de filets de cuivre, tablette d'entrejambe ; pieds toupies surmontés de colonnettes renflées. Vers 1790. Collection particulière.

232. Table de toilette en acajou ; dessus ouvrant doublé d'un miroir, révélant un plateau de marbre blanc ; trois tiroirs à la ceinture, pieds fuselés droits montés sur des roulettes de cuivre. Vers 1790. Collection particulière.

233. Guéridon à tablettes en acajou à filets de cuivre ; tablette supérieure octogonale, bordée d'une galerie de bois, deux tablettes d'entrejambes hexagonales ; décor de losanges appliqués sur les montants. Vers 1795. Collection particulière.

ou quatre tiroirs séparés par des traverses et portés par des pieds très courts : pieds toupies, pieds en griffes de lion, etc. Les angles peuvent être ornés de colonnes ou de pilastres cannelés. Les **secrétaires** à abattant sont souvent assortis aux commodes. On trouve également des bureaux plats, surmontés ou non de gradins à tiroirs. La table à la Tronchin est une innovation : un pupitre dont la hauteur est réglable permet de lire ou de travailler debout.

Les **consoles** (fig. 228), qui comportent quatre pieds réunis à leur partie inférieure par une planche d'entretoise, ont un tiroir de ceinture. Les pieds peuvent être en toupies surmontés de colonnettes renflées et cannelées, mais les pieds hauts les plus caractéristiques de l'époque sont en gaine quadrangulaire et munis d'un sabot carré (fig. 229). La figure de femme en gaine (fig. 230) apparaît au même moment : elle sera l'un des éléments les plus typiques du style Empire.

Sous l'influence anglaise, les **tables** de salle à manger avaient commencé à se répandre en France à la veille de la Révolution. Dorénavant, c'est un usage établi de consacrer une pièce aux repas et d'y avoir en permanence une table d'acajou (fig. 214).

Les modèles de tables sont variés, mais les formes en sont plus raides que sous Louis XVI : tables en chiffonnière (fig. 231), munies de tiroirs, tables de toilette (fig. 232), guéridons circulaires au centre d'une pièce, guéridons à tablettes superposées (fig. 233), athéniennes directement inspirées de l'Antiquité et dont la mode, née sous Louis XVI, se poursuivra sous l'Empire (fig. 254).

A la fois moins riche et moins raffiné que le style Louis XVI, le style Directoire reste cependant d'une sobre élégance. Tout en annonçant le style Empire, il est infiniment moins austère et moins imposant.

LE STYLE EMPIRE

De même que Louis XIV, monarque absolu, avait imposé ses directives dans tous les domaines, y compris celui de l'art, sous l'autorité de Le Brun, de même Napoléon Ier va confier à ses architectes Percier et Fontaine le soin de fixer les règles qui, pendant une dizaine d'années, vont marquer les productions artistiques de la France.

L'Empereur renonce à habiter Versailles, mais il réside dans les autres Maisons Royales qu'il fait remeubler après la tourmente révolutionnaire. A quelques exceptions près, c'est un mobilier Empire qui va garnir les appartements du souverain. Un style nouveau va naître et se répandre.

Le style nouveau accentue les caractéristiques apparues dès 1785-1790 : plus grande sobriété, goût accru de l'Antiquité. Mais la sobriété devient sévérité, l'élégance est sacrifiée à la majesté, l'uniformité remplace la fantaisie. Les artisans n'interprètent plus les dessins qu'on leur propose, ils les copient. On recherche avant tout la symétrie, la grandeur, la monumentalité, la richesse et le respect absolu des modèles antiques. L'art du meuble est entièrement soumis à l'architecture.

Les sièges sont encore parfois en bois peint ou doré, particulièrement dans les résidences impériales. Mais le bois le plus fréquemment utilisé est l'acajou (fig. 234) massif ou plaqué. Il est d'un emploi constant. Malgré les recommandations qui leur sont faites, les ébénistes se servent beaucoup plus rarement de bois indigènes (fig. 255) qui seront typiques de la Restauration.

Pour animer les sombres surfaces d'acajou, les artisans ont recours à des ornements de bronze doré au mat fixés au milieu des panneaux. L'Antiquité inspire tous les motifs : animaux fantastiques (fig. 236), figures mythologiques (fig. 237), victoires ou renommées (fig. 238), monstres marins, étoiles (fig. 238), palmettes (fig. 236), rinceaux (fig. 238), rosaces (fig. 238), médaillons (fig. 235), couronnes de lauriers (fig. 234, 235), foudres et torches (fig. 234, 246).

234. Somno en acajou et bronze doré, en forme de borne antique. Dessus de marbre blanc. Façade décorée d'une couronne de lauriers et d'une torche. Vers 1810. Paris, Musée des Arts Décoratifs.

235. Applique de bronze doré : buste antique dans une couronne de lauriers.

236. Applique de bronze ciselé et doré au mat : griffons affrontés de part et d'autre d'une palmette.

237. Figures mythologiques : « la Sagesse éloignant l'Amour d'une jeune fille ».

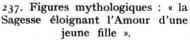

238. Montant d'un lit bateau dont le dossier enroulé vers l'extérieur s'appuie sur une sphinge. Appliques de bronze doré : Victoire brandissant deux torches enflammées, étoiles, rinceaux, rosace.

Les **sièges** évoluent, les dossiers conservent quelque temps leur forme enroulée vers l'extérieur, puis deviennent plats, carrés ou rectangulaires. Les pieds postérieurs sont en sabre (fig. 245), les pieds antérieurs et les supports d'accotoirs sont le plus souvent d'un seul tenant. Ils sont droits (fig. 239), de section carrée ou cylindrique. Les accotoirs sont également droits (fig. 240), reliés au dossier par une sorte de manchon sculpté (fig. 239) ou une petite palmette. Parfois c'est une égyptienne ou une caryatide en gaine (fig. 240), terminée ou non par des griffes de lion, ou bien un lion ailé monopode (fig. 241) qui constituent le pied et le support d'accotoirs.

Le lion, l'aigle (fig. 250), le cygne, le dauphin (fig. 242) sont les animaux favoris de l'époque. Le cygne « Empire » est représenté en entier avec ses ailes et son plumage finement sculptés, qu'il remplace le support

239. Fauteuil en acajou dont le pied antérieur et le support d'accotoir sont d'un seul tenant. Accotoir droit se reliant au dossier plat et carré par un manchon sculpté. Couronne de lauriers en bronze doré en applique. — 240. Fauteuil en acajou dont le pied antérieur et le support d'accotoir sont constitués par une Égyptienne en gaine reposant sur un pied griffu. Applique de bronze doré à la ceinture. — 241. Lion monopode en acajou sculpté constituant le pied antérieur et le support d'accotoir d'un fauteuil. — 242. Accotoir en acajou sculpté orné à ses extrémités de la tête et de la queue d'un dauphin.

et l'accotoir d'un fauteuil, ou qu'il soit plaqué sur la surface d'un meuble (fig. 243). Le col de cygne sera utilisé à l'époque de Louis-Philippe (fig. 278).

C'est au début du XIXe siècle que le dossier enveloppant « en gondole » apparaît. Il sera d'un emploi constant tout au long du siècle (fig. 263, 277).

Les chaises ont les mêmes caractéristiques que les fauteuils. Des bergères (fig. 245), un ou deux canapés complètent les ensembles de sièges, tandis que les piètements en X des tabourets (fig. 244)

243. Cygne en acajou sculpté et peint façon bronze antique ornant le chevet d'un lit. — 244. Piètement en X d'un tabouret en acajou sculpté et mouluré, se terminant en griffes de lion ; une traverse en fuseau relie les pieds.

rappellent l'influence de l'Antiquité. Les « paumiers » sont de petits canapés à deux places et à accotoirs pleins.

Les **lits** sont le plus souvent en acajou : leurs chevets sont tantôt droits, ornés de pilastres et de figures en gaine, tantôt enroulés vers l'extérieur pour les « lits-bateaux » (fig. 238). Les somptueuses garnitures d'étoffes ont presque toujours disparu.

Les gros meubles, commodes, secrétaires, armoires, ont des caractéristiques communes : formes raides, aspect massif, angles vifs.

Les **commodes** à tiroirs ou à vantaux (fig. 246) sont portées par des pieds courts, parfois en griffes

245. Bergère en acajou sculpté. Pieds antérieurs en égyptiennes en gaine; accotoirs plats reliés au dossier carré par une palmette. Vers 1810. Collection particulière. — 246. Commode à deux vantaux en acajou ramagé, portée sur des pieds courts ; montants accostés de torches dont les extrémités sont en bronze doré ainsi que les serrures et l'arête de l'un des vantaux. Vers 1805-1810. Collection particulière.

247. Montant accosté d'une caryatide en gaine, dont la tête et les pieds sont en bronze doré.

248. Pied en griffes de lion.

249. Pied colonne orné de bagues de bronze doré et ciselé.

de lion (fig. 248), ou reposent sur un socle. Les entrées de serrures sont très discrètes, les poignées la plupart du temps inexistantes. Les montants très secs sont souvent adoucis par des éléments plaqués à l'angle du meuble : pilastres, colonnes, torches (fig. 246), et surtout égyptiennes ou caryatides en gaine d'un emploi très fréquent à cette époque. Des ornements de bronze doré et ciselé égaient la surface sombre de l'acajou.

Les **secrétaires** à abattant ont les mêmes caractéristiques (fig. 252). Les bonheurs-du-jour si répandus à la fin du XVIIIᵉ siècle sont toujours appréciés, mais ils n'ont plus la même légèreté, la

250. Montants en forme de lyre dont les extrémités sont ornées de têtes d'aigles en bronze doré. Détail de la coiffeuse de l'impératrice Joséphine aux Tuileries, en thuya, acier et appliques de bronze doré. Paris, Musée des Arts Décoratifs.

251. Pied en forme de chimère ailée reposant sur un pied griffu.

SUR LA PAGE SUIVANTE

252. Secrétaire à abattant en acajou moucheté dont les montants sont ornés de cariatides en gaine ; ornements de bronze ciselé et doré ; pieds en griffes de lions peints façon antique. Vers 1806-1807. Paris, Musée des Arts Décoratifs.

même finesse. Les pieds colonnes munis de bagues de bronze doré (fig. 249), les montants ornés d'une caryatide en gaine (fig. 247), les épaisses planches d'entretoise au ras du sol (fig. 247) accentuent leur aspect architectural.

On trouve également de grands bureaux plats, des bureaux mécaniques, des bureaux en forme d'arc de triomphe.

Les montants affectant la forme d'une lyre (fig. 250) ou d'une chimère ailée portée sur un pied griffu (fig. 251) sont plus rares et réservés à des meubles riches.

Les **consoles** à un tiroir ont les mêmes montants droits, reliés près du sol par une planche d'entretoise. Parfois, les montants postérieurs sont réunis par un fond de glace.

Les coiffeuses ressemblent souvent à une console surmontée d'un miroir pivotant.

La **psyché** (fig. 253) est un meuble nouveau : c'est un grand miroir, encadré d'acajou, pivotant entre des montants ; des pieds patins reliés entre eux par une traverse en fuseau assurent la stabilité.

Autre innovation : la **table de chevet**, en forme de borne antique, appelée « somno » (fig. 234). Il est maintenant admis de la laisser près du lit pendant la journée.

L'athénienne (fig. 254) est toujours à la mode. Elle est souvent en métal et porte le nom de lavabo lorsqu'elle est munie de deux tablettes circulaires superposées, destinées à recevoir un bassin et une aiguière.

Les guéridons circulaires, de plus ou moins grand diamètre, sont très répandus. Qu'ils soient portés par un pied central (fig. 255) ou par trois pieds (fig. 256), leur base est en forme de triangle à côtés concaves.

253. Psyché en acajou, miroir cintré pivotant entre deux colonnes surmontées d'un vase à l'antique et munies de bougeoirs ; encadrement d'acajou orné d'une guirlande de lauriers, ponctuée par des rosaces ; pieds à griffes réunis par une traverse en forme de fuseau. Vers 1810. Paris, Musée des Arts Décoratifs.

254. Deux athéniennes. A gauche, modèle en bronze porté par trois pieds droits élevés, reliés par des croisillons et terminés en griffes, base triangulaire à côtés concaves. Ceinture ornée de couronnes mobiles ; dessus de marbre blanc. Vers 1795-1800. A droite, modèle en bronze porté par trois pieds droits en forme de pilastres ornés de bas-reliefs et terminés en griffes ; base et tablette intermédiaire triangulaires à côtés concaves ; la tablette porte une coupe, la partie supérieure est munie d'un couvercle ajouré. Vers 1810. Paris, Musée des Arts Décoratifs.

255. Base triangulaire à côtés concaves en amboine d'un guéridon à pied central. — 256. Guéridon en acajou et bronze doré porté par trois caryatides en gaine ; base triangulaire à côtés concaves. Dessus de marbre gris. Vers 1810. Paris, Musée des Arts Décoratifs.

On a beaucoup reproché au style Empire sa monotonie, sa sévérité, son caractère systématique. Ces critiques sont certainement justifiées, mais on ne saurait nier l'excellence du travail des artisans, qu'il s'agisse des ébénistes utilisant admirablement les veines de l'acajou, ou des bronziers, dont les productions sont toujours de qualité.

LE STYLE RESTAURATION

On peut admettre que le style Empire est l'aboutissement normal d'une certaine tendance du style de la fin du règne de Louis XVI. Comment s'étonner alors que Louis XVIII, grand amateur des meubles « d'avant-garde » créés par Georges Jacob, avant la Révolution, ait apprécié à son retour en France les créations de « l'Usurpateur » et n'ait pas cherché à les modifier, d'autant plus qu'il n'en avait guère les moyens. Seuls les emblèmes impériaux disparaissent et sont remplacés par les fleurs de lis.

Si le roi trouve des palais installés et meublés, il n'en est pas de même pour les émigrés qui rentrent. Pour eux, tout est à faire ; la vie recommence. Après les années d'exil et de privations, ils désirent un cadre aimable, élégant, et ne s'accommodent pas des meubles sévères de

257. Secrétaire à abattant en loupe de frêne à incrustations d'amarante ; un tiroir à la frise, niche garnie d'un miroir et comportant un grand tiroir et cinq petits ; partie inférieure ouvrant à deux vantaux ; dessus de marbre blanc. Vers 1820-1825. Chaise à dossier ajouré à croisillons. Vers 1820-1825. Collection particulière.

258. Décor de bronze doré : palmette, fleurons, feuille d'acanthe, appliqué sur un secrétaire en loupe de frêne. — 259. Pied antérieur en fuseau à filets de bois foncé, pied postérieur en sabre. — 260. Pied antérieur en crosse, pied postérieur en sabre ; au-dessus de la ceinture, motif sculpté en double volute recevant l'accotoir. — 261. Accotoir en « bois recourbé » dessinant une longue volute.

l'Empire. Ils s'adressent à des ornemanistes qui ont travaillé sous l'Ancien Régime, Bellangé, Dugourc, et leur demandent de créer des modèles qui leur rappellent le xviiie siècle, tout en y ajoutant les notions nouvelles de confort et de pratique. Seule de la famille royale, la duchesse de Berry partage cette façon de voir et suit la mode lorsqu'elle ne la crée pas.

Le goût du confort et du pratique est partagé par une clientèle récemment apparue : la bourgeoisie. Le rapport de l'Exposition des Produits de l'Industrie de 1827 donne comme mot d'ordre aux fabricants : « Travaillez pour le peuple qui achète tous les jours, plutôt que pour ceux qui n'achètent qu'une fois. »

Si l'obligation de l'estampille a disparu, les vieilles traditions se sont maintenues ; les artisans connaissent admirablement leur métier. Le machinisme n'a pas encore envahi la fabrication.

L'acajou continue à être utilisé pendant quelque temps. Mais, à la fois dans un but d'économie et dans un désir de gaieté, il est vite remplacé, dans la très grande majorité des cas, par les bois indigènes de tonalités claires. Sous le règne de Charles X, l'érable, le frêne, l'orme, le charme, le sycomore sont employés soit massifs, soit plaqués ; les racines, les ronces, les loupes de ces bois permettent d'obtenir des effets décoratifs très variés.

On revient à la technique de la marqueterie, mais surtout de l'incrustation : les meubles les plus typiques de la Restauration sont en bois clair incrusté de bois foncé, généralement de l'amarante (fig. 257). Ceci est une règle à peu près générale. Cependant, il existe quelques rares meubles de bois sombre incrusté de bois clair ; cette répartition des couleurs prévaudra sous le règne de Louis-Philippe (fig. 276). Les motifs incrustés sont légers, gracieux, stylisés, assez monotones : fleurettes, rosaces, guirlandes, rinceaux, mais surtout palmettes, le motif le plus employé au xixe siècle.

Les applications de bronze doré sont extrêmement rares (fig. 258, 273).

Les lignes courbes, à peu près totalement délaissées sous l'Empire, retrouvent à nouveau la faveur du public, surtout en ce qui concerne les **sièges**.

Les pieds postérieurs sont en sabre ; les pieds antérieurs, parfois droits et en fuseau (fig. 259), sont le plus souvent en consoles (fig. 260), terminés par des volutes plus ou moins développées. Les accotoirs (fig. 261), non garnis de manchettes, ne font qu'un avec leurs supports, en dessinant un

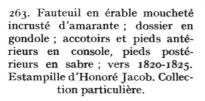

262. Fauteuil en loupe de frêne, à filets d'amarante, dossier plat et rectangulaire, couronné d'une traverse légèrement cintrée, accotoirs en volutes, pieds antérieurs en console, postérieurs en sabre. Vers 1820-1825. Collection particulière.

263. Fauteuil en érable moucheté incrusté d'amarante ; dossier en gondole ; accotoirs et pieds antérieurs en console, pieds postérieurs en sabre ; vers 1820-1825. Estampille d'Honoré Jacob. Collection particulière.

long enroulement en volute qui semble être un col de cygne stylisé à l'extrême. Les dossiers garnis peuvent être plats (fig. 262), couronnés d'une double volute ou d'une traverse légèrement cintrée, mais le modèle qui triomphe à ce moment est le fauteuil « en gondole » (fig. 263), au dossier très enveloppant, qui donne une particulière impression de confort.

Les chaises ont des pieds plus fins et plus déliés (fig. 264). Les dossiers sont le plus souvent ajourés, à barrettes, à croisillons (fig. 257), à motifs en éventail ; dans les chaises-gondoles, un large bandeau relie le siège à la traverse supérieure cintrée (fig. 265).

Les montants enroulés vers l'extérieur caractérisent les méridiennes (fig. 266) et les canapés, (fig. 267) dont les pieds sont de plus en plus courts.

Quant aux **lits**, ils adoptent également cette forme de montants : ils sont alors « en bateau » ; il arrive que le galbe des côtés soit tel que la couche prenne vraiment l'aspect d'une nacelle. Les lits à montants droits sont plus rares.

264. Piétement de chaise : pieds antérieurs en console, postérieurs en sabre.

265. Dossier d'une chaise - gondole en érable moucheté incrusté d'amarante ; la traverse supérieure est reliée au siège par deux montants incurvés et par un bandeau plat.

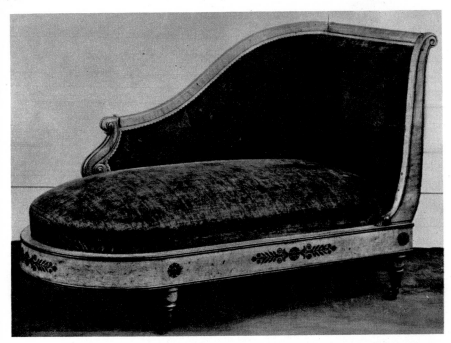

266. Méridienne en loupe de frêne à incrustations d'amarante ; pieds courts montés sur roulettes ; siège arrondi à l'une de ses extrémités, un chevet à montant enroulé vers l'extérieur ; dossier sinueux se reliant au siège par un montant très bas en console. Vers 1825-1830. Collection particulière. — 267. Détail d'un canapé en loupe de frêne à incrustations d'amarante, décor de rosaces, palmettes étirées, grecques et rinceaux ; pieds bas, chevet enroulé vers l'extérieur, dossier rectiligne. Vers 1825-1830. Collection particulière.

Les **commodes** sont du même type que sous l'Empire (fig. 282) : de forme très rectiligne, à pieds courts, elles ouvrent à deux vantaux ou comportent une série de tiroirs (fig. 268). Elles sont simplement ornées de moulures et d'incrustations.

Il en est de même pour les **secrétaires** à abattant (fig. 257), dont la niche est souvent garnie d'un miroir, tandis que les bureaux plats, les bonheurs-du-jour, les bureaux à cylindre sont également de bois clair incrusté d'amarante.

Les petites **tables** de toutes sortes qui garnissaient les intérieurs de l'Ancien Régime réapparaissent : tables à jeux, tables de toilette, jardinières, travailleuses, etc. Les piètements en lyres (fig. 269) ou en cols de cygnes (fig. 270) réunis par un fuseau sont très répandus ; cependant, les colonnes et les montants plats reliés près du sol par un socle échancré (fig. 271) continuent à être utilisés, de

268. Commode en érable moucheté à incrustations d'amarante ; forme droite à quatre tiroirs, dont un dans la ceinture, portés par des pieds bas ; décor de rinceaux et fleurons ; dessus de marbre. Vers 1820-1825. Collection particulière. — 269. Piètement composé de deux lyres reliées par un fuseau.

270. Piétement composé de deux lyres stylisées terminées en cols de cygne, reliées par un fuseau.

271. Piétement dont les montants plats et en colonnes sont reliés par un socle rectangulaire largement échancré.

même que les bases triangulaires à côtés concaves portant trois pieds ou un pied central (fig. 273). Les plateaux des petites tables peuvent être en bois clair incrusté d'amarante. mais on apprécie beaucoup à cette époque les mosaïques de marbres de couleur, les fixés sous verre (fig. 273), la porcelaine.

Les **consoles** (fig. 272) munies d'un tiroir à la ceinture ont des montants en volutes reposant sur un socle échancré, lui-même porté par des griffes de lion ; le fond peut être garni d'un miroir.

C'est à cette époque qu'apparaissent les **meubles à usages multiples** : armoire à glace, commode-secrétaire, qui se répandent de plus en plus, car la clientèle bourgeoise habite des immeubles locatifs, dont les appartements offrent des pièces de dimensions réduites.

C'est également à la fin du règne de Charles X que commence à se manifester le goût du passé : le style «gothique troubadour », cher à la duchesse de Berry, est la première expression de la « manie passéiste » qui va caractériser la seconde moitié du XIXᵉ siècle.

En effet, la Restauration est la dernière période de création dans l'histoire du meuble français. A partir de 1830 environ, les meubles vont être fabriqués en série ; le machinisme triomphe.

Il faut signaler d'autre part le rôle important joué par le tapissier, qui ne fera que croître sous les règnes de Louis-Philippe et de Napoléon III.

272. Console en érable moucheté à incrustations d'amarante ; un tiroir à la ceinture ; pieds en volutes, socle échancré porté par des griffes de lions ; fond de glace ; dessus de marbre blanc. Vers 1825-1830. Collection particulière.

273. Guéridon en loupe d'orme et bronze doré ; plateau circulaire orné en son centre d'un fixé sous verre, relié à la base triangulaire à côtés concaves par un pied central orné de trois mufles de lions ailés et de palmettes en bronze doré. Vers 1825-1830. Collection particulière.

LE STYLE LOUIS-PHILIPPE

Louis-Philippe, roi des Français, est souvent surnommé le Roi-citoyen ou le Roi-bourgeois. C'est qu'il avait le vif désir de plaire à ses sujets et qu'il imitait volontiers le genre de vie de la classe sociale qui depuis peu jouait dans la nation le rôle le plus important.

Ce sont les bourgeois qui vont imposer une évolution aux fabricants de meubles : ils veulent un mobilier de belle apparence, mais à des prix raisonnables, et d'autre part ils constituent une clientèle fort nombreuse. Il s'agit donc de produire beaucoup et à des prix réduits. C'est à cette époque qu'apparaît le meuble de série fabriqué à l'aide de procédés mécaniques et vendu chez des marchands de meubles.

Les éléments décoratifs coûteux, bronzes, incrustations, marqueterie, sont éliminés dans la plupart des cas. Les meubles Louis-Philippe sont robustes, simples, confortables ; s'ils sont moins raffinés que ceux des styles précédents, ils restent cependant de bonne qualité.

Les bois foncés, acajou (fig. 290), palissandre (fig. 274, 281), ronce de noyer (fig. 289), sont le

274. Bonheur-du-jour en palissandre dont le gradin est surmonté d'une vitrine-bibliothèque ; décor de perles et d'oves sculptées dans la masse, et de colonnettes tournées en spirales qui constituent également le piétement, pieds à griffes de lion. Vers 1835-1840. Collection particulière.

275. Fauteuil en acajou à dossier plat dont les montants sont légèrement inclinés vers l'arrière ; accotoirs sans manchette reposant sur des supports en consoles ; pieds postérieurs en sabre, antérieurs en console. Vers 1830-1840. Paris, Musée des Arts Décoratifs.

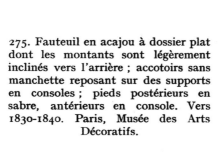

276. Décor de branchages fleuris en houx incrusté dans le palissandre. — 277. Dossier d'un fauteuil gondole.

278. Col de cygne terminant le piétement en X d'un tabouret en acajou.

279. Dossier ajouré à croisillons d'une chaise en acajou.

plus fréquemment employés. Quand il y a un décor d'incrustation (fig. 276), ce qui est exceptionnel, le motif se détache en clair sur fond de bois sombre : le plus souvent, il s'agit de houx incrusté dans le palissandre ou l'acajou.

Les bronzes (fig. 287), très rares également, sont de qualité très moyenne.

La ligne générale des meubles reste très proche de ce qu'elle était depuis le début du siècle, mais elle tend vers plus de mollesse et de lourdeur.

Les **sièges** sont confortables. Les dossiers en gondole (fig. 277) restent très appréciés. Mais ils sont peu à peu remplacés par des dossiers rectangulaires plats dont les montants se recourbent légèrement vers l'arrière (fig. 275). Les pieds antérieurs sont en console, les pieds postérieurs en sabre. Les accotoirs sont souvent en volute, comme sous la Restauration (fig. 261), mais ils peuvent aussi être plats et portés par des supports en console (fig. 275). Le col de cygne (fig. 278) se rencontre fréquemment.

280. Fauteuil Voltaire en acajou, à haut dossier rectangulaire cambré à la hauteur des reins ; accotoirs garnis de manchettes, pieds postérieurs en sabre, antérieurs en fuseau. Vers 1835. Collection particulière. — 281. Secrétaire à abattant en palissandre, à dessus de marbre blanc ; décor sculpté de perles et d'oves, pieds en griffes de lion · l'intérieur est plaqué de citronnier. Vers 1840-1850. Paris, Mobilier National.

Sur la page suivante

282. Commode en érable moucheté et filets d'amarante ouvrant à 2 vantaux ; filets de cuivre doré ; dessus de marbre blanc. Estampille de Fischer. Vers 1825. Paris, Musée des Arts Décoratifs.

283. Fauteuil en frêne à incrustations d'amarante ; dossier cintré en forme de cœur, accotoirs enroulés en crosse, pieds en sabre. Estampille de Beaudry. Vers 1825-1830. Paris, Musée des Arts Décoratifs.

284. Fauteuil en érable moucheté à incrustations d'amarante ; dossier en gondole ; garniture de tapisserie au point ; pieds en sabre. Vers 1825-1830. Paris, Musée des Arts Décoratifs.

Les chaises ont le plus souvent un dossier ajouré, à barrettes ou à croisillons (fig. 279).

Le siège le plus caractéristique de l'époque est le fauteuil Voltaire (fig. 280), dont le haut dossier se cambre à la hauteur des reins.

Les canapés, les méridiennes sont nombreux et confortables.

C'est à ce moment qu'apparaissent les sièges et les divans entièrement capitonnés, œuvres des tapissiers plus que des ébénistes ; ils connaîtront un immense succès sous le règne de Napoléon III.

Les **lits-bateaux** ont des montants droits et non plus galbés comme à l'époque précédente.

Les **commodes**, les **secrétaires** à abattant (fig. 281) reprennent les formes Empire et Restau-

   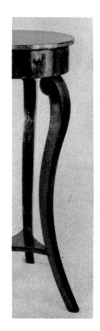

285. Détail d'une étagère en acajou à trois tablettes superposées et fond de glace ; montants tournés en balustres ; les deux tablettes supérieures sont bordées d'un rang d'oves sculptées, la dernière tablettes forme socle ; côté et galerie ajourés finement sculptés. Vers 1840. Paris, Musée des Arts Décoratifs. — 286. Détail d'une étagère en acajou à deux tablettes superposées ; montant antérieur tourné en double fuseau, montant postérieur plat. — 287. Détail d'un bonheur-du-jour en acajou ; montant antérieur en colonne reposant sur un culot renflé et orné de bagues de bronze doré, montant postérieur plat, reliés près du sol par une épaisse planche d'entretoise échancrée. 288. Pied en console fortement cambré.

ration, droites, massives, de plus en plus rectilignes. Les pieds sont très bas, parfois en pattes de lion ; les surfaces sont nues, avec dans certains cas un décor de fil de perles ou d'oves sculptés dans la masse (fig. 281). Le plus souvent, le tiroir supérieur est compris dans une corniche en doucine évasée. Parfois, l'intérieur d'un secrétaire à abattant est plaqué d'un bois clair. Certaines commodes dissimulent une cuvette sous le plateau, tandis que d'autres peuvent faire office de bureau grâce à l'aménagement particulier du tiroir supérieur.

Ce goût des meubles à usages multiples se répand de plus en plus : le mobilier d'une chambre à coucher comporte presque obligatoirement une armoire à glace ; un bureau bonheur-du-jour (fig. 274) peut être surmonté d'une vitrine-bibliothèque.

Les bureaux à cylindre sont munis de tiroirs descendant jusqu'à terre.

Le bois tourné est très utilisé pour le décor des petits meubles volants, fort nombreux à cette époque : tournage en spirale (fig. 274), en balustre (fig. 285), en fuseau plus ou moins renflé (fig. 286) ; le bois découpé, finement sculpté, décore certains meubles plus luxueux (fig. 285).

Les pieds droits tournés, les pieds en colonne (fig. 287) repris de l'Empire sont nombreux, mais le pied en console (fig. 288) est également très caractéristique.

Les **tables** rondes (fig. 289) ont un plateau supporté par un fût central renflé porté par trois pieds. Il y a également des tables rectangulaires à abattant, des tables à rallonges, des tables demi-lune, des tables à ouvrage (fig. 290), des jardinières.

Les étagères à tablettes superposées reposent sur le sol, ou sont accrochées au mur lorsqu'elles sont de petite taille.

Le sens du pratique amène les fabricants à munir les piètements des meubles de roulettes (fig. 290, 291).

Les marbres sont gris foncé ou blancs.

A côté de tous ces meubles sérieux, bourgeois, il faut noter les fantaisies archéologiques qui rencontrent un succès croissant. Les ornemanistes, tel Chenavard, proposent des projets d'intérieur chinois, grec, égyptien, mais surtout gothique ou Renaissance. Le gothique troubadour qui séduisait

289. Petite table en ronce de noyer ; plateau circulaire porté par un fût central renflé reposant sur trois pieds. Vers 1830-1840. Collection particulière. — 290. Table à ouvrage en acajou à deux tiroirs; pieds en X reliés par un fuseau central et munis de roulettes. Vers 1830-1835. Collection particulière. — 291. Chaise basse, dite « chauffeuse », « à la cathédrale », en palissandre incrusté de citronnier ; dossier ajouré et découpé d'arcatures gothiques et de quatre-feuilles ; pieds postérieurs dans le prolongement des montants du dossier, munis de roulettes comme les pieds antérieurs en fuseau. Vers 1830-1840. Estampille de Jeanselme. Collection particulière.

la duchesse de Berry est à la mode ; il se manifeste dans les formes et dans les décors. Il est de bon ton de se meubler « à la cathédrale » (fig. 291).

Le goût du pastiche va triompher pendant la deuxième moitié du siècle. L'inspiration des artisans du meuble est tarie dès cette époque ; ils se tournent vers le passé pour lui demander des modèles.

LE STYLE SECOND EMPIRE

Dès l'époque de la Restauration, on avait pu noter une influence très nette du Moyen Age et de la Renaissance dans le domaine des arts en général et du mobilier en particulier. Ce goût ne fait que s'accentuer pendant la deuxième moitié du siècle, tandis que la civilisation industrielle connaît un essor extraordinaire.

Les fabricants de meubles ont de plus en plus souvent recours au travail des machines, et la « manie passéiste », dont parle Jean Cassou, s'aggrave. Comme il l'écrit : « On ne fait plus rien, mais on aime tout ce qui a été fait. »

Ceci va nous valoir des salles à manger Henri II, des chambres à coucher Louis XV-Pompadour, des salons Louis XVI-Impératrice.

Il n'y a d'ailleurs aucune intention de tromper : à de rares exceptions près — lorsqu'il s'agit de compléter un ensemble — les meubles Napoléon III s'inspirent des styles antérieurs, mais ne les « copient » pas.

Les caractéristiques de chaque style sont accentuées, parfois excessivement, et adaptées au goût du jour. Une chaise se voit parée de pinacles et d'arcatures ajourées qui lui donnent l'air gothique (fig. 292), mais au Moyen Age on n'a jamais fabriqué de siège de ce genre, bien différent des chaires seigneuriales. De même, les meubles Henri II s'inspirent de la Renaissance (fig. 293, 294), mais avec lourdeur ; la sculpture mécanique remplace le délicat travail des menuisiers du XVIᵉ siècle. Au XVIIᵉ siècle, les fabricants empruntent surtout la marqueterie « Boulle » et le bois noir ; mais l'ébène est bien souvent remplacée par du bois noirci et la marqueterie «Boulle» est préparée mécaniquement. Le XVIIIᵉ siècle inspire nombre de créations Second Empire. Le Louis XV (fig. 295, 296, 297) d'abord, dans ce qu'il a de plus mouvementé, de plus rocaille : on exagère encore le goût des courbes et des bronzes abondants, on charge les bois de siège d'une sculpture envahissante. Puis l'impératrice Eugénie manifeste un

292. Dossier de chaise de style gothique. — 293. Détail d'un meuble d'appui à incrustations. Paris, Musée des Arts Décoratifs. — 294. Dossier de chaise de style Renaissance ; garniture de tapisserie.

295. Table de chevet de style transition Louis XV-Louis XVI ; marqueterie de fleurs sur le plateau et les tiroirs, de cubes sur les côtés ; sabots de bronze doré
Collection particulière.

culte touchant pour le souvenir de Marie-Antoinette et recherche les meubles ayant appartenu à la défunte reine ; c'est le style Louis XVI qui triomphe alors dans ce qu'il avait de plus fleuri et de plus gracile (fig. 298, 299).

On n'hésite jamais à mélanger les styles et à leur adjoindre éventuellement des détails typiques de l'époque, telles les garnitures à capitons et les roulettes. En effet, si la société du Second Empire a le goût du pastiche, elle recherche avant tout son confort. Cette société est riche et surtout elle tient à le paraître. C'est pourquoi elle apprécie tout ce qui « fait riche » : le bois noir, le bois doré, la sculpture abondante, la marqueterie de bois de couleur ou de style Boulle, les incrustations, les bronzes dorés. Mais les meubles sont fabriqués en série, les anciennes techniques qui dans le passé demandaient un travail long et coûteux sont le plus souvent exécutées à la machine et les bronzes sont dorés par galvanoplastie.

Cependant, quelques ébénistes maintiennent la tradition de l'ouvrage bien fait et fabriquent des meubles d'une exécution impeccable (fig. 293, 299).

A côté des meubles inspirés par le passé, il faut noter quelques idées nouvelles.

Les sièges entièrement garnis d'étoffe sont tout à fait typiques ; déjà apparus sous Louis-Philippe, ils se répandent de plus en plus : poufs, chaises (fig. 300), fauteuils « en crapaud », canapés à deux places ou « confidents », à trois places ou « indiscrets », « bornes », c'est-à-dire canapés circulaires destinés à être placés au centre d'une pièce, meublent à profusion les intérieurs. Leur garniture, souvent

296. Pied de fauteuil de style Louis XV, muni d'une roulette. — 297. Guéridon en acajou ; plateau de forme mouvementée porté par un montant central en forme de bulbe soutenu par trois pieds en volutes, munis de roulettes. Paris, Musée de l'Assistance Publique.

298. Dossier de chaise inspiré par les dossiers médaillons Louis XVI ; garniture à capitons. — 299. Meuble d'appui dans le style de Riesener, attribué à Fourdinois ou Krieger ; marqueterie de losanges en sycomore, médaillon et ornements de bronze doré, marbre blanc. Château de Compiègne.

« à capitons », se complète de franges. L'amour de la passementerie va jusqu'à imiter les cordages tressés et à les nouer pour en faire des piétements de tabourets (fig. 301).

Il y a également des quantités de petites chaises légères en bois doré, en papier mâché ou en bois noir.

Le bois noir est très en vogue pour les sièges comme pour les meubles : il est souvent peint de motifs floraux (fig. 302), enrichi d'incrustations de nacre ou de pierres de couleurs, orné de marqueterie « dans le genre de Boulle » (fig. 303).

Le goût pour l'Orient, si vif tout au long du XVIIIᵉ siècle, s'était atténué. Il est ranimé par la prise du Palais de Pékin et la création du Musée chinois au château de Fontainebleau. Quelques meubles manifestent cette inspiration extrême-orientale avec un excès qui prête à sourire (fig. 304). Mais, le

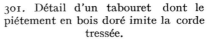

301. Détail d'un tabouret dont le piétement en bois doré imite la corde tressée.

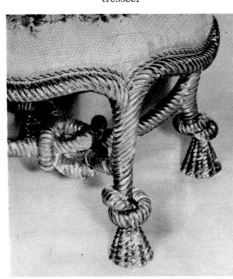

300. Chaise capitonnée en velours violet, ornée de longues franges qui dissimulent les pieds ; le siège séparé du dossier évitait de s'asseoir sur les pans de l'habit. Paris, Musée des Arts Décoratifs.

302. Détail d'une table travailleuse en bois noir peint de fleurs au naturel ; filets de cuivre incrusté. — 303. Couvercle d'une cave à liqueurs en poirier noirci ; au centre, motif dans le style de Boulle, en cuivre, nacre et bois de rose.

plus souvent, on se contente d'évoquer l'Orient en imitant le bambou, soit en bois verni, soit en bois doré (fig. 305), soit en bronze.

Si les fabricants de la deuxième moitié du XIXe siècle n'ont pas eu un esprit vraiment créateur, ils ont du moins montré une imagination étonnante dans l'utilisation de tout ce qui avait été inventé avant eux. Les intérieurs sont surchargés de meubles de toutes sortes, de tapis, de tentures. Mais cette abondance ne saurait cacher une vérité évidente : l'inspiration est tarie. Les créateurs français ont fait preuve de génie tant qu'ils ont été des artisans. Mais ils n'ont pas su adapter leurs qualités aux réalités nouvelles : demande accrue et industrialisation.

304. Meuble d'encoignure, ébène palissandre et laque ; commandé par Napoléon III en 1860, non encore livré en 1870 ; composé par Émile Reiber, exécuté chez Christofle, sous la direction de H. Bouilhet. Étagère de bambou et métal ; ornements de bronze doré ; fleurs et mouches en émaux cloisonnés. Paris, Musée des Arts Décoratifs.

305. Jardinière en bois doré imitant le bambou. Collection particulière.

ORIGINE DES PHOTOGRAPHIES

Adant, fig. 12. — *Archives photographiques,* fig. 7, 13, 27, 32. —
Chevojon, fig. 214, 281, 285, 290, 297, 303, 305. — *Délu,* fig. 19,
31, 45. — *Studio Dupuis,* fig. 29, 41, 42, 46, 49, 62 à 64, 69, 79,
80, 84, 85, 87, 102 à 105, 107, 112 à 115, 121, 128, 129, 132 à 136,
140, 152, 173, 207, 209, 212, 215 à 217, 224, 225, 227, 229 à 237,
239, 241 à 244, 251, 253 à 255, 257, 262, 263, 265, 269, 270, 272,
273, 276, 277, 278, 287, 289, 291, 295. — *Jansen,* fig. 38. —
Studio Jéré, fig. 39, 47, 163, 274, 275, 279, 301. — *Musée des
Arts Décoratifs,* fig. 1 à 6, 8, 9, 11, 15 à 18, 20 à 23, 26, 28, 33 à 37,
40, 43, 44, 48, 50 à 61, 67, 68, 71 à 75, 77, 78, 81 à 83, 86, 90 à 99,
101, 106, 108 à 111, 116 à 118, 120, 122 à 127, 130, 131, 139,
141 à 146, 150, 151, 153 à 161, 164 à 172, 174 à 181, 186, 188,
189, 191, 192, 195 à 197, 201, 204, 208, 210, 212, 218 à 222, 228,
230, 236, 237, 240, 247 à 250, 256, 260, 261, 271, 277, 292 à 294,
296, 298 à 300, 302, 304. — *Musée Nissim de Camondo,* fig. 70,
100, 112, 138, 149, 162, 182, 185, 187, 190, 193, 194, 202, 203,
205, 206, 211, 213. — *Routhier,* fig. 245.

TABLE DES MATIÈRES

**Héliogravure Nourisson
à Issy-les-Moulineaux.**